Ariadne Krimis: Inwiefern anders?
Ariadnes Spezialität ist spannender Lesestoff mit literarischem und aufrüh-
rerischem Anspruch. Für uns muss ein guter Krimi folgende Kriterien erfül-
len: Der Suspense muss auf mehreren Ebenen stattfinden. Also nicht nur:
wer hat gekillt bzw. wird er oder sie überführt?, sondern zusätzliche Rätsel,
Fragen, Unklarheiten, Gefahren, Ängste und Nöte. Der Erzählkosmos darf
keine heile Welt sein, die nur durch ein einsames Verbrechen gestört und mit
der Lösung des Falls wieder blitzsauber wird – vielmehr zieht ein guter Krimi
seine Spannung auch aus den Lücken, Grauzonen und Fehlern herrschender
Moral und Rechtsvorstellung. Gerade hier sehen wir die Herausforderung
einer zeitgemäßen Krimikultur: eingängig und spannend Geschichten zu
erzählen, die gesellschaftliche Widersprüche und Ungerechtigkeiten aus-
leuchten, Zweifel an kulturellen, moralischen, sozialen Selbstverständlich-
keiten wecken, kritischen Argwohn gegenüber den gängigen Glücks-, Erfolgs-
und Wohlstandsversprechungen schüren, zum Misstrauen gegen blinde
Ideologien, Dogmen und Normen anregen.

Ariadne Krimis neigen zum Subversiven. Dass Frauen darin stets die
Hauptrollen besetzen, war vor zwölf Jahren ein mittlerer Skandal, heute
stehen wir damit nicht mehr so allein. Dass die Hälfte unserer Protagonistin-
nen Sex mit Frauen bevorzugt, ist schon weniger gängig und entspricht dem
Off-Mainstream-Anspruch der Ariadne Krimis. Die Heldinnen und Anti-
heldinnen sind meist Figuren, die an den üblichen Rollenmustern rütteln
und neue Wege zu gehen versuchen. Bei den deutschsprachigen Autorinnen
suchen und fördern wir diejenigen, die mit dem Genre experimentieren, über
den Tellerrand spähen, sich dreist auf neues Terrain wagen. Krimis sind für
uns eine Art Widerstandskultur. Das muss man natürlich nicht genauso sehen,
man kann auch einfach die spannenden Bücher genießen, die wir verlegen.

Zu diesem Buch
Für ihre große Liebe gibt Psychiaterin Klara Keitz ihr Leben in Dortmund auf
und zieht nach Conil in Andalusien, um dort mit ihrem Partner eine Surfschule nebst Strandbar aufzumachen. Doch alle Träume platzen, und Klara
steht plötzlich allein da. Nicht mal auf die Rückendeckung ihrer Freundin
Camila kann sie zählen, denn die hat ganz offensichtlich mit eigenen Prob-
lemen zu kämpfen. Erst allmählich merkt Klara, dass hinter Camilas seltsa-
mem Verhalten schlimme Geheimnisse stecken, die böse Folgen haben …

Petra Pfänder, Jahrgang 1961, studierte Film-, Fernseh- und Theaterwis-
senschaften und Germanistik, bekam 1990 eine Tochter, machte 1992 das
Examen, arbeitete als freiberufliche Journalistin für Hörfunk und diverse
Printmedien und co-kreierte den Internetauftritt der Stadt Dortmund. Ihr
Debüt *Die blaue Katze* erschien 2003 und führte die Romanfiguren ein, die
uns in *Kalte Rosen* erneut begegnen.

Petra Pfänder

Kalte Rosen

Ariadne Krimi 1158
Argument Verlag

Ariadne Krimis
Herausgegeben von Else Laudan
www.ariadnekrimis.de

Von Petra Pfänder bei Ariadne erschienen:

Die blaue Katze (Ariadne Krimi 1148)
Kalte Rosen (Ariadne Krimi 1158)

Deutsche Originalausgabe
Alle Rechte vorbehalten
© Argument Verlag 2005
Glashüttenstraße 28, 20357 Hamburg
Telefon 040/4018000 – Fax 040/40180020
www.argument.de
Lektorat: Kirsten Gleinig
Satz: Iris Konopik
Umschlaggestaltung: Else Laudan
Druck: Oldenbourg Taschenbuch GmbH, Kirchheim
Gedruckt auf säure- und chlorfreiem Papier
ISBN 3-88619-888-X
Erste Auflage 2005

»Wie hunderttausend Mal durchs Universum und zurück«
für meine Tochter Pia

Etwas Fremdes beherrschte den Raum. Ein Geruch, ein Gefühl. Nichts Greifbares. Camila wusste nicht, was sie geweckt hatte, wagte nicht, sich zu bewegen, die Augen zu öffnen. Alle Instinkte signalisierten Flucht, aber sie horchte reglos in die Dunkelheit. Plötzlich erkannte sie den Geruch, der sauer und stechend im Raum hing: Angst. Fremde Angst.

Sie konnte nicht denken, nur fühlen, wie ihr Herz hämmerte und gegen die Rippen schlug. Das Blut dröhnte in ihren Ohren. Ihr Körper war starr, jeder Muskel, jede Sehne war angespannt, steif und vibrierend vor Angst. An ihren Füßen bewegte sich kaum wahrnehmbar die Matratze. Camila öffnete die Augen. Die Gestalt saß am Fußende des Bettes, ein schwarzer Schatten vor dem hellen Rechteck des Fensters.

»Endlich bist du wach.« Seine rechte Hand lag locker auf dem Laken und hielt ein Messer, dessen Klinge silbrig schimmerte.

»Was wollen Sie?« Camila setzte sich auf. Wie Eis sickerte das Bewusstsein in ihre Knochen, dass dies kein Traum war.

»Dich.« Der Fremde schob seine linke Hand unter das Laken auf ihren Unterschenkel. Ein Gefühl, als legte jemand einen kalten, klebrigen Lappen auf ihre Haut. Sie zuckte zurück und spürte die plötzliche Spannung, die durch seinen Körper lief. Er hob die Hand mit dem Messer, die Spitze auf ihren Hals gerichtet.

Wie ein kreischender Vogelschwarm zogen wirre Bilder durch ihren Kopf. Hass klumpte sich in ihrem Magen zusammen, breitete sich in ihrem Körper aus und verdrängte die Angst. Sie würde tun, was sie tun musste, aber sie würde sich nie wieder unterwerfen.

»Zieh dich aus!«

Seine Stimme ließ Camila zittern, doch sie versuchte, es sich nicht anmerken zu lassen. Ohne die Augen von dem unbegreiflichen Schatten zu wenden, zog sie langsam ihr T-Shirt über den Kopf. Instinktiv wollte sie nach dem Laken greifen und sich trotz der Dunkelheit bedecken, aber sie wusste, dass ihn diese Geste anstacheln würde. Sie versuchte, ihrem Körper zu befehlen, lockerer zu werden. Es wirkte ein wenig, und der Mann spürte es. Sie konnte fühlen, wie er sich entkrampfte.

Sie musste ihn dazu bringen, mit ihr zu reden. Solange er mit ihr sprach, würde er sie nicht töten. »Warum sind Sie ausgerechnet zu mir gekommen?« Camila war überrascht, wie gelassen ihre Stimme klang.

Der Fremde schwieg. »Hast du dich über die Rosen gefreut?«, fragte er schließlich leise.

»Rosen?« Ihre Beine begannen unkontrolliert zu zittern.

An ihrem Geburtstag vor sieben Monaten hatte sie die erste gefunden, langstielig und dunkelrot hatte sie auf der Türschwelle gelegen.

»Sie waren wunderschön«, sagte Camila ruhig und versuchte, Muskeln und Stimme unter Kontrolle zu bekommen. Nach dieser ersten hatte sie immer wieder Rosen gefunden, auf dem Fensterbrett, dem Terrassentisch oder vor der Tür. Ein schüchterner Fan, hatte sie mit einem vagen Gefühl der Bedrohung vermutet. Dann waren keine Blumen mehr gekommen, und sie hatte die Sache vergessen. Sieben Monate Besessenheit. Er musste sie beobachtet haben, die ganze Zeit. Es war das erste Mal seit einem Jahr, dass ihr Mann und ihre Tochter gleichzeitig über Nacht nicht im Haus waren.

»Lüg mich nicht an. Du hast sie jedes Mal weggeworfen«, schrie er. Seine Stimme vibrierte vor Wut.

»Aber ich fand sie schön, wirklich, nur …«

»Halt's Maul jetzt, genug geredet.« Er hatte seine Haltung verändert, wirkte angespannt wie ein Raubtier vor dem Sprung, zögerte aber noch. Dann stand er auf, blieb vor ihr stehen und hielt ihr das Messer an die Kehle. Die rasierklingendünne Schneide lag kalt auf ihrer Haut. Mit der linken Hand griff er fest in ihre langen Haare. Sie spürte den metallischen Geschmack von Blut in ihrem Mund.

»Lass uns anfangen, Liebes!« Langsam bog er ihren Kopf nach hinten, näherte sich ihren Lippen. Sie konnte seinen Atem riechen. Mit der Klinge folgte er der Linie ihrer Brüste. Ihre Haut würde aufplatzen wie eine überreife Traube. Seine Augen, leere Höhlen in der Dunkelheit, saugten sich an ihrem Körper fest.

Der Schmerz trieb Camila die Tränen in die Augen, aber sie gab keinen Laut von sich. Sie musste die Kontrolle bekommen, dann konnte ihr nichts passieren. Langsam hob sie die Arme, öffnete die Knöpfe an seinem Hemd und streichelte mit den Fingerspitzen seine schweißnasse Haut. Gerade als sie glaubte, er würde ihr mit den Haaren die Haut vom Kopf reißen, lockerte er seinen Griff und ließ die Hand mit dem Messer sinken. Camila beugte sich vor und streifte seine Haut mit den Lippen. Vorsichtig fuhr sie mit den Fingern die straffen Muskeln auf seinem Bauch nach, glitt tiefer. Als sie sein leises Stöhnen hörte, folgte sie ihnen mit der Zunge, hörte auf zu denken.

* * *

Der Mann lag neben ihr, eingerollt wie ein Embryo, und versuchte, sich an sie zu schmiegen.

»Es ist vorbei«, sagte sie und lauschte dem Gesang eines Vogels, der weit weg von ihr erwacht war. »Gehen Sie. Kommen Sie nie wieder in meine Nähe.«

Er erwiderte nichts, blickte sie nur an. Im schwachen Licht des anbrechenden Morgens konnte sie den Ausdruck in seinen Augen nicht erkennen. Er stand auf und zog sich an. Ohne sich umzudrehen verließ er das Haus.

Das Laken unter ihr war kalt und nass. Sie roch und schmeckte ihn noch. Camila setzte sich auf, benommen wie nach einem tiefen Mittagsschlaf, und bewegte ihre verkrampften Schultern. Ihr Körper glühte, fühlte sich ausgelaugt an, als wäre sie zu lange durch die pralle Sonne gelaufen. Sie erhob sich, stellte sich unter die Dusche, putzte die Zähne, bis ihr Zahnfleisch blutete. Nass ging sie in den Garten, legte sich mit ausgebreiteten Armen auf die Wiese und ließ das Wasser auf der Haut trocknen. Langsam wurde es hell. Noch waren Sterne am Himmel zu sehen, verblassten aber im zunehmenden Tageslicht.

* * *

Nie wieder Schillingstraße 27. Klara ging ein letztes Mal durch die leeren Zimmer ihrer Altbauwohnung. Ihre Schritte hallten auf dem Parkett. Die wenigen Möbel, die sie mit ins neue Leben nehmen wollte, standen schon in ihrem Haus in Andalusien. Es kam ihr unwirklich vor, dass sie neun Jahre hier gelebt hatte. Die Wohnung war ihr bereits fremd wie ein altes Urlaubsfoto.

Der Geruch nach frischer Farbe und Reinigungsmitteln lag in der Luft. Klara öffnete das hohe Erkerfenster, lehnte sich hinaus und streckte die Finger aus. Fast konnte sie die Blätter der Platane vor ihrem früheren Arbeitszimmer berühren.

Nie wieder Patienten. Klara schloss das Fenster und lehnte ihre Stirn gegen das Glas. Statt Erleichterung überkam sie Traurigkeit. Vor drei Monaten hatte sie ihre Stellung als Psychiaterin im Landeskrankenhaus Aplerbeck aufgegeben, um nach Spanien zu gehen, ebenso ihren Lehrstuhl an der Ruhr-Universität Bochum. In den letzten zehn Jahren war sie eine der angesehensten Gutachterinnen für Traumata geworden.

Als Klara Jan das erste Mal gesehen hatte, ahnte sie nicht, dass er so wichtig werden würde in ihrem Leben. Vor zwei Jahren hatte sie ihn im Urlaub in Andalusien kennen gelernt. Er war Elektroingenieur, Fachgebiet Solartechnik, vor allem aber Surfer. Er hatte sie am Strand gefunden, die Füße voller Seeigelstacheln, und zu ihrem Hotel gebracht. Jan reiste von Projekt zu Projekt durch die Welt. Einzige Standortvoraussetzung war ein Surfrevier in der Nähe.

Nach ihrer Abreise damals hatte Klara erwartet, dass ihre Liebesgeschichte zu Ende wäre, aber schon nach drei Monaten hatte er in einer kalten Dezembernacht in Dortmund vor ihrer Tür gestanden, die Arme voller Lavendel – Klaras Lieblingsblumen. Er hatte Steinchen an ihr Fenster werfen müssen, weil ein Gewitter im Kreuzviertel die Stromversorgung ausgeschaltet hatte, und war völlig durchnässt gewesen, bis er es geschafft hatte, sie aufzuwecken.

Vor einem halben Jahr hatten sie in Conil gemeinsam eine Surfschule gekauft. Genau genommen, hatte Klara sie bezahlt. Für den Verkauf ihrer Wohnung hatte sie genug Geld bekommen, um damit den Start in die neue Existenz zu finanzieren. Sie konnte zwar noch nicht surfen, aber sie würde den kaufmännischen Bereich übernehmen und plante dazu, eine Strandbar neben der Surfstation zu eröffnen. Klara dachte an die Hütte am Strand. Als sie das letzte Mal dort gewesen war, hatte Jan bereits angefangen, Surfbretter, Neoprenanzüge, Segel und was sonst noch dazugehörte auszusuchen und die Schule einzurichten. Sie vermisste ihn und freute sich darauf, nachts aufzuwachen, die Hand ausstrecken zu können und seinen warmen Körper neben sich zu finden, anstatt die Nase in seinem leeren Hemd zu vergraben, wenn sie nicht schlafen konnte.

Der Taxifahrer klingelte. Klara trocknete sich mit dem Handrücken die Augen, hängte ihren Rucksack über die Schulter und zog die Tür hinter sich zu. Als sie auf die Straße kam, beugte sich ein junger Mann durch die geöffnete Beifahrertür in das Taxi. Sein T-Shirt war hochgerutscht und gab den Blick auf einen braun gebrannten Rücken frei. Das konnte nicht sein. Er richtete sich auf und drehte sich langsam zu ihr um. Klara spürte, wie ihr vor Freude Tränen in die Augen stiegen.

Jan lächelte sie an. »Ich dachte, du würdest beim Abschied von Dortmund vielleicht gern meine Hand halten.«

Klara strich ihm die Haare aus dem Gesicht. Sie konnte nicht sprechen, nur lachen und weinen.

Er zog sie in die Arme. »Bist du so weit?«

* * *

Die Maschine sackte kurz ab und fing sich wieder. Klara klingelte und ließ sich eine Decke bringen. Vor den Toiletten plauderte Jan mit der schwarzhaarigen Stewardess. Ihre interessierten Blicke waren Klara bereits beim Einsteigen aufgefallen. Die Flugzeit betrug noch eine halbe Stunde. Zwei Reihen vor ihr versuchte eine Mutter vergeblich, ihr schreiendes Kind zu beruhigen.

Offenbar war die Stewardess witzig. Jans Lachen zog Klaras Blick zurück zu den beiden. Er lehnte entspannt an der Kabinenwand, die sehr junge Frau stand dicht vor ihm und strich sich eine Strähne, die sich aus ihrem locker geschlungenen Knoten gelöst hatte, aus dem Gesicht mit den hohen Wangenknochen.

Die Maschine zitterte und fiel wieder in ein Luftloch, diesmal heftiger. Die Anschnallzeichen leuchteten auf und der Gong brachte Jan zurück zu Klara. Mit zwei Gin Tonics in der Hand schwankte er über den Gang und legte sich den Gurt um.

»Die Crew erwartet keine ruhige Landung. Über Jerez liegt eine Schlechtwetterfront.« Jan hob sein Glas, prostete Klara zu und biss sie leicht ins Ohrläppchen.

Das Geschrei des Kindes ging in ein leises Wimmern über, als die Maschine erneut absackte. Ein paar hundert Meter unter ihnen war bereits die Landebahn zu erkennen und kam rasch näher. Das Wetter sah gut aus, aber es war äußerst böig. Immer wieder kippte die Maschine zur Seite, streifte mit einer Tragfläche fast den Beton. Kollektives Stöhnen ging durch die Reihen. Mit heulenden Motoren startete der Pilot durch, stieg wieder auf und setzte ein zweites Mal zur Landung an. Das Flugzeug kam mit ein paar unsanften Hüpfern auf und zitterte selbst noch in der Parkposition im Wind. Schweigend verließen die Passagiere das Flugzeug und warteten ungewöhnlich geduldig auf ihre Koffer.

In der Ankunftshalle hüpfte Camila auf und ab wie ein Gummiball. »Klara! Klara!« Sie wedelte mit einem weißen Tuch, als wollte sie feindliche Truppen von ihren friedlichen Absichten überzeugen. Als sie Jan sah, runzelte sie die Stirn, so kurz, dass Klara zweifelte, ob sie es sich nur eingebildet hatte.

Klara und Camila kannten sich seit Jahren. Geheimnisse hatte es bisher zwischen ihnen nicht gegeben. Camila neigte auch nicht zu übermäßigem Taktgefühl. Erst jetzt fiel Klara auf, dass ihre Freundin bisher nur ausweichende Kommentare zu ihrer Beziehung mit Jan abgegeben hatte.

»Wie war euer Flug?« Camila küsste Jan rechts und links auf die Wangen, umarmte Klara und hakte sich bei ihr ein.

»Stürmisch, jedenfalls am Ende. Bei der Landung war ich nicht sicher, ob wir es schaffen.« Fast automatisch wechselte Klara ins Spanische über, das sie akzentfrei beherrschte.

»Wir sind hier ganz froh über den Wind. Er bringt zwar kaum Abkühlung, aber wenigstens bewegt sich die Luft ein bisschen. Seit Wochen haben wir jeden Tag fast vierzig Grad. Selbst nachts bleibt es heiß.«

Klara musterte Camila. Sie wirkte verändert. Statt ihrer üblichen Jeans und weiten Herrenhemden trug sie heute ein figurbetontes, kurzes Leinenkleid. Ihre langen braunen Haare waren zu einem Kurzhaarschnitt gestutzt worden. Weiche Strähnen, von der Hitze an den Schläfen feucht geworden, fielen locker um ihr Gesicht. Mit den ungewohnt hohen Absätzen reichte sie Klara bis an die Nasenspitze.

»Gut siehst du aus. Völlig anders.«

Camila setzte ihre Sonnenbrille auf. »Ich dachte, es wird Zeit, was Neues auszuprobieren. Gil ist ganz begeistert. Selbst nachdem er die Kontoauszüge gesehen hat. Für mein neues Outfit hätte ich im Haus auch eine Klimaanlage einbauen lassen können. Aber davon ist man sowieso nur dauernd erkältet.« Camila wischte sich mit ihrem Taschentuch die Stirn.

Sie war Bildhauerin. Seit einiger Zeit waren ihre morbiden Beton-Skulpturen in der spanischen Kunstszene sehr gefragt. Aber sie hasste es, sich von ihnen zu trennen, und setzte so horrende Preise an, dass sie nicht viel verkaufte. Um ihre letzte Figur hatte sie eine Woche getrauert und dann vom Erlös neue Wasserleitungen und Installationen bezahlt.

Vor dem Flughafengebäude wirbelten Müll und Staub über den Parkplatz. Reisende stemmten ihre Oberkörper gegen den Wind und zogen Koffer und Kinder hinter sich her. Asphalt und Beton glühten wie Brennöfen, die Hitze war noch durch die Sohlen zu spüren. Klara und Jan verstauten ihre Taschen in Camilas verbeultem Mini. Wie üblich bedeckten leere Colaflaschen, Schuhe und zerknautschte Keksschachteln die Sitze.

Jan wischte mit einer zerknüllten Serviette einen glasigen, weichen Klecks vom Polster und kletterte auf den Rücksitz. »Kannst du mich in Conil absetzen? Ich muss an der Station eine Lieferung Segel in Empfang nehmen und komme später nach.«

Gil und Camila hatten vor zwei Jahren eine alte Finca außerhalb von Conil gekauft und renoviert. Am Anfang war das alte Haus eher wild als romantisch gewesen, mit wackeligen Holzgeländern, defekten Strom- und Wasserleitungen, bröckelndem Putz und Kacheln, die in den Bädern von den Wänden fielen. Klara hatte den beiden den dazugehörenden alten Schafstall abgekauft und ausgebaut. Nach zehn Jahren Singleleben freute sie sich jetzt auf einen gemeinsamen Kleiderschrank, Jans Schuhe im Flur und seine Handtücher im Bad.

Im zähen Nachmittagsverkehr schlichen die Autos durch die Straßen und ließen Klara unvermittelt an einen Leichenzug denken. In den engen Gassen der Altstadt staute sich die Luft. Vor den Geschäften hatten Händler Stände mit billigen bunten Kleidern und Plastikspielzeug aufgebaut. Wie von Magneten gezogen bewegten sich Urlauber trotz der Hitze durch die Straßen und suchten nach Mitbringseln. Mit viel Gehupe steuerte Camila den Paseo del Atlántico an.

Auf dem Parkplatz stieg Klara aus und atmete tief die salzige, feuchte Meeresluft ein. »Das kann ich jetzt jeden Tag riechen.« Ein Müllwagen dröhnte vorbei und verströmte einen penetranten, süßlichen Geruch nach faulem Müll und Diesel.

Jan rümpfte die Nase. »Wer's mag.«

Klara boxte ihn lachend vor die Schulter. »Kommst du nach Hause oder soll ich heute Abend nach Conil kommen und wir gehen essen?« Sie sah Camila an. »Was ist mit euch? Habt ihr später Zeit?«

»Wenn ihr nicht alleine turteln wollt, kommt doch zu uns. Gil kocht schon den ganzen Tag an seiner Paella.«

»Das hört sich doch phantastisch an.« Jan winkte Camila und zauste zum Abschied Klaras Haar.

Durch das geöffnete Wagenfenster wehte warme Luft wie aus einem Föhn und trocknete den Schweiß auf Klaras Haut. Sie blickte kurz zu Camila. Ihr Gesicht wirkte schmaler, härter, wies schärfere Konturen auf. Klara fiel Camilas Stirnrunzeln bei Jans Anblick ein. »Sag mal, hast du eigentlich was gegen Jan?«

»Wie kommst du denn darauf?« Camila drehte die Musik leiser.

»Ich weiß nicht. Wir haben noch nie richtig über Jan und mich geredet. Und wir reden doch sonst sogar über einen Gartenstuhl.«

»Quatsch. Ich finde Jan wirklich nett.«

»Nett? Aus deinem Mund ist das nicht gerade ein Kompliment. Letztens fandst du diesen beigen Nylonkittel deiner Schwester ›nett‹.«

»Nein, wirklich. Ich mag Jan.«

»Aber?«

»Was ›aber‹?« Camila fuhr sich genervt durch ihre Haare.

»Ach, vergiss es.« So kurz nach der Ankunft hatte Klara keine Lust auf eine Auseinandersetzung. Vielleicht bildete sie sich den seltsamen Unterton ja auch nur ein. »Tut mir leid. Ich bin wohl ein bisschen müde und empfindlich. Die Hitze haut mich fast um.«

Camila bog von der Landstraße in einen schmalen Feldweg ein, der durch einen Pinienwald an einem kleinen See vorbei zu ihren Häusern führte. Langsam kurvte sie um ein tiefes Schlagloch herum. Sie öffnete den Mund, presste die Lippen aufeinander, öffnete den Mund wieder und holte tief Luft. »Na gut, wenn du es unbedingt wissen willst. Ich habe ehrlich nichts gegen Jan. Wir waren in den letzten Wochen auch ein paar Mal mit ihm essen, was trinken. Ich finde ihn sympathisch. Auch wirklich witzig. Und vor allem äußerst charmant. Aber trotzdem hast du Recht. Ich hätte dir jemand anderen gewünscht.«

»Und wieso? Ich denke, du findest es toll, dass ich hierher gezogen bin. Außerdem bin ich mit Jan so glücklich wie noch mit keinem Mann.«

»Sicher find ich es toll, dass du hier bist. Aber Jan … Mir ist er einen Hauch zu perfekt, zu glatt. Er kann den ganzen Abend lang einen Raum voller Leute unterhalten, aber über ihn selbst erfährt man nichts, absolut nichts. Ein Phänomen! Und dass du dein ganzes Geld in diese Surfschule gesteckt hast … Du bist Psychiaterin. Und zwar die beste, die ich kenne. Du hättest hier eine Praxis aufmachen können. Bei allen anderen blickst du so gut durch, aber bei dir selbst? Dass du für diesen … Jungen eine Surfschule kaufst …« Camila schlug eine Hand vor den Mund und blickte Klara erschrocken an. »Verflucht. Warum kann ich bloß meinen verdammten Mund nicht halten.«

Der Mini steuerte auf einen Busch zu. Klara riss das Lenkrad herum. »Guck nach vorn und nimm beide Hände ans Steuer!«

»Entschuldige, Klara, das tut mir furchtbar leid, das ist mir rausgerutscht. Ich bin unmöglich.«

»Schon gut, wenigstens weiß ich jetzt, wie du darüber denkst. Aber warum hast du nie was gesagt? Du behältst deine Meinung doch sonst nie für dich.«

Camila blickte Klara an, unsicher, ob sie beleidigt war. »Ich hab's ja versucht, aber du wolltest das nicht hören. Und du bist so glücklich. Wenn du jetzt nicht gefragt hättest … Ich hätte damit nicht angefangen.«

Schweigend fuhren sie weiter, bis sie durch eiserne Torflügel bogen und Klara über den Wipfeln der Pinien das mit ockerfarbenen Ziegeln gedeckte Dach der Finca erkennen konnte. Hinter dem Haus erstreckte sich eine weitläufige Wiese bis zur Klippe. Die hoch stehende Sonne schnitt scharfe Schattenrisse aus der Gruppe knorriger Pinien, die Klaras Haus verbarg. Als sie die Wagentür öffnete, stieg ihr der Duft von Rosmarin, Thymian und Oleander in die Nase.

»Es tut mir leid.« Camila ging einen Schritt auf sie zu.

Klara hob abwehrend die Hände. »Schon gut. Lass uns später weiterreden.«

* * *

Schon von weitem leuchtete die Terrasse lila. Jan hatte kübelweise Lavendel für sie gepflanzt. Aber die Hitze hatte die Erde in den Töpfen ausgetrocknet, und die Blüten beugten sich müde.

Mit einem eigenen Haus in Andalusien hoffte Klara einen Anker werfen zu können, Wurzeln zu schlagen, die sie bis jetzt noch nirgendwo gefühlt hatte. Acht Monate hatten die Handwerker gebraucht, um den ehemaligen Schafstall in drei geräumige Wohnräume zu verwandeln. Ihr kleines Vermögen, das ihr die Wohnung im Kreuzviertel eingebracht hatte, war, neben der Investition in die Surfschule, beim Kauf von Fenstern, Fliesen, einem neuen Dach und Leitungen schneller versickert als ein Eimer Wasser im Sand. Jetzt machte das Haus einen soliden Eindruck. Weiß getünchte Wände, Fenster bis auf den Boden, durch die man das Meer sehen konnte. In der Küche waren einige alte Holzschränke aus der großen Finca eingebaut. Regale bedeckten eine Wand im Wohnzimmer, teilweise schon mit Jans Büchern gefüllt. Geöffnete Kisten standen davor. An der Wand lehnte ein orangefarbenes Surfbrett.

Klaras Blick blieb an dem einzigen Bild im Raum hängen, auf dem die Abendsonne die afrikanische Steppe rot färbte. Ein überraschendes Geschenk von ihrem Vater. Obwohl Klara nie ein inniges Verhältnis zu ihm gehabt und sich nach der Scheidung ihrer Eltern völlig von ihm zurückgezogen hatte, schien er ihr Leben zu verfolgen. Die warmen Farben des Fotos ließen den ansonsten kahlen Raum fast belebt wirken.

Klara sah sich um. Das war jetzt also ihr Zuhause. Sie verzog das Gesicht. Das Gefühl, an einen vertrauten Ort heimzukommen, das sie in Conil bisher immer empfunden hatte, stellte sich heute nicht ein. In ihrer Phantasie hatte Jan sie über die Schwelle getragen. Sie grinste über sich selbst und blickte durch die geöffneten Türflügel in den Garten. Vor ihrer Terrasse erstreckte sich ein dichter Teppich aus blumengetüpfeltem Gras und grünen Sträuchern, der zur Rechten zu dem winzigen Pinienwäldchen führte.

Hinter den Spitzen der Bäume leuchteten die Ziegel der großen Finca in der Sonne. Zur Linken wurde die Wiese nach etwa hundert Metern durch einen schmalen Streifen blühender Büsche und Kletterpflanzen begrenzt, hinter dem die Klippen steil zu einem schmalen Streifen Strand und dem Meer abfielen. Über den Blüten der Terrassenpflanzen tanzten Bienen und erfüllten mit ihrem Summen die Luft.

Der Lavendel brauchte dringend Wasser. Erste Stängel waren bereits verdorrt. Verschwitzt und verstaubt ging Klara hinaus, drehte den Wasserhahn auf, ließ sich in einen Gartenstuhl sinken und richtete den Schlauch auf die Pflanzen. Der Wind hatte sich gelegt. Nur ab und zu bewegte eine schwüle Bö die Blätter der Bäume. Draußen war es kaum kühler als im Haus, das aufgeheizt war wie ein Brutofen. Sie musste dringend Vorhänge besorgen, um tagsüber die Sonne auszusperren. Klara ließ den Wasserstrahl über ihre klebrigen Arme und Beine laufen und beobachtete schläfrig die Tropfen, die wie Schnecken über ihre Haut krochen.

* * *

Vanilleduft weckte sie. Klara blinzelte. Eine schmale, dunkelbraune Hand hielt einen Keks vor ihre Nase. Sammy stand barfuß vor ihr auf der überfluteten Terrasse. Als Klara die Augen öffnete, verzog sich ihr roter Mund zu einem breiten Lächeln. Ihre Haare standen in kurzen, von der Sonne gebleichten Rastalocken um ihr schmales Gesicht mit den großen, schwarzen Augen. Sie trug abgeschnittene Jeans und ein weites verwaschenes T-Shirt. Sammy berührte mit ihrer Wange flüchtig Klaras, stellte die Schale Kekse auf den Tisch und ließ sich in einen Gartenstuhl fallen. Sie stopfte sich ein Kissen in den Rücken und machte es sich bequem.

Camila und Gil hatten Sammy vor zwei Jahren adoptiert, ein Jahr nachdem sie und Klara mit inoffizieller Hilfe eines Comisarios das Mädchen aus einem Bordell befreit hatten. Sammy hatte bei der Rettungsaktion ihre Zuhälterin erschossen. Ihr Alter war damals auf etwa dreizehn Jahre geschätzt worden. In den ersten Wochen hatte Klara mit ihr gearbeitet. Inzwischen ging Sammy zur Schule, sammelte Mangas und spielte Beachvolleyball wie alle anderen Mädchen in ihrer Klasse.

Die Luft roch nach nasser Erde. Sammy hatte den Hahn zugedreht. Klara blickte sich noch ein wenig benommen um. Das Wasser hatte die rissige Lehmkruste aufgeweicht und einige Stängel des Lavendels richteten sich bereits wieder auf.

Klara stopfte sich zwei Kekse in den Mund. »Hi, Liebes. Geht's dir gut?«, nuschelte sie.

Sammy nickte und schaute Klara fragend an. Niemand hatte sie je sprechen hören.

»Ja, mir auch.«

Sammys ernster Blick, der einen seltsamen Kontrast zu ihrem jungen Gesicht bildete, gab Klara immer das Gefühl, sie könnte in irgendeinem Winkel die Wahrheit erkennen, ohne dass ihr Gegenüber die Chance hatte, etwas zu verbergen. »Na ja, nicht richtig schlecht jedenfalls.«

Sammy lächelte leicht.

»Kommt ihr mit an den Strand?« Camila lief mit ihren Sandalen in der Hand über die Wiese und schwenkte eine riesige grüne Tasche. »Ich habe schon alles eingepackt. Für dich auch, Klara. Bevor du lange in den ganzen Kisten suchen musst. Wenn du willst, helfe ich dir morgen beim Auspacken.«

Klara zögerte. Sammy sprang auf, zog sie aus dem Stuhl und nickte ihr zu.

Sie schlenderten zu der Treppe, die in die roten Klippen gehauen war. Zwischen stählernen Pfosten, die in den Sandstein getrieben waren, war ein Seil als Handlauf gespannt. Unter ihnen lag das Meer in der Nachmittagssonne, glatt und dunkel schimmernd. Manchmal lief Sammy voraus bis zur Felskante, kehrte wieder um und nahm Klaras Hand. Langsam erreichte sie das Gefühl, angekommen zu sein.

Die Sonne stand schon tief und warf lange Schatten. Weit draußen war der Kopf eines Schwimmers zu sehen. Obwohl noch immer brütende Hitze über dem Strand lag, war ihr Küstenabschnitt still und verlassen, zu weit entfernt von den überfüllten Hotelstränden. Im Dunst des Sommernachmittags wirkten die Sonnenschirme in der Ferne wie Schirmchen in Cocktailgläsern. Menschen wimmelten dazu ameisengleich am Strand und im Wasser. Die drei kletterten die Treppe hinab, breiteten die Tücher im Schatten der Felsen aus und zogen ihre Badesachen an.

Camila cremte sich ein und holte ein Buch aus der Tasche. Sammy rannte zum Meer. Klara holte sie ein, tauchte ihre Hände ins Wasser und spritze sie nass. Kichernd liefen die beiden ins tiefere Wasser und schwammen um die Wette, bis Sammy sich auf den Rücken drehte und treiben ließ. Camila war zu einer Spielzeugfigur geschrumpft.

Langsam wanderte ein Mann den Strand entlang. Als sie zurück ans Ufer kamen, lag er nackt in der Nähe ihres Platzes auf seinem Handtuch. Weiß gefärbte Strähnen in seinen schwarzen Haaren erinnerten an einen Dachs.

Klara trocknete sich ab, drehte ihr Haar zu einem Zopf und drückte das Wasser heraus. Der Mann blickte unverwandt zu ihnen herüber.

Sammy hatte ihm den Rücken zugekehrt und cremte sich

ein, während Camila ihn anstarrte. »Das darf doch wohl nicht wahr sein! Der Kerl fängt an, an sich rumzuspielen.«

Sammy zuckte gleichgültig die Achseln.

»So ein Schwein. Jetzt steht er auf.« Camila folgte ihm mit ihrem Blick. Eine deutliche Erektion vor sich her tragend, promenierte der Fremde am Rand des Wassers vor ihnen auf und ab.

»Guck doch nicht so hin. Das peitscht ihn nur noch auf«, sagte Klara.

»Das kann der doch nicht machen«, sagte Camila lauter. »Wir haben ein Kind dabei.«

Sammy grinste und winkte gelangweilt ab.

»Ignorier ihn einfach«, sagte Klara.

»Denkt der, dass uns das gefällt?« Camila setzte sich auf. Der Mann ging zurück zu seinem Tuch, bewegte schnell seine Hand auf und ab.

»Guck dir das an, Klara. Der onaniert!« Rote Flecken breiteten sich auf Camilas Gesicht aus.

»Lasst uns ein Stück weitergehen.« Klara begann, die Sachen in die Badetasche zu stopfen.

»Ich lass mich doch nicht von so einem dreckigen Schwein vertreiben.« Camila stand auf.

Die Bewegungen des Mannes wurden schneller, er betrachtete Camilas üppigen Körper und lächelte. Langsam ging sie zum Fuß der Klippen, hob einen Stein, groß wie eine Kokosnuss. Bevor jemand reagieren konnte, rannte sie auf den Mann zu, stoppte kurz vor ihm, hob den Stein mit beiden Händen und schleuderte ihn in seine Richtung. Mit Wucht knallte er neben seinem Kopf an den Felsen und zerschellte. Splitter trafen das Gesicht des Fremden. Entsetzt griff er nach seinem Kleiderbündel und rannte nackt den Strand entlang. Ohne innezuhalten, sah er sich immer wieder um.

»Das macht der so schnell nicht wieder.« Zufrieden rieb Camila ihre Hände am Handtuch ab und setzte sich wieder auf ihr Tuch. Ihre Augen glitzerten.

Sammy hatte sich in den Sand gekniet und starrte Camila fassungslos an.

»Spinnst du?«, fragte Klara entgeistert.

»Wieso das denn? Sollten wir uns das einfach bieten lassen?«

»Fünf Zentimeter weiter rechts, und du hättest ihm den Schädel eingeschlagen!«

»Wäre doch nicht schade drum. Wenn keiner was dagegen unternimmt, glaubt dieses Schwein noch, das gefällt den Frauen. Und irgendwann vergewaltigt er eine.«

»Das ist doch Quatsch. Exhibitionismus ist keine Vorstufe zur Vergewaltigung, das weißt du, Camila. Sicher, das war absolut nicht in Ordnung, aber auch kein Grund, ihn fast umzubringen.«

Klara hatte noch nie einen Anflug von Brutalität bei Camila erlebt. Sie war temperamentvoll, regte sich schnell auf und konnte, wenn sie wütend war, mit ihrer Stimme Gläser zum Klirren bringen. Aber der Gipfel der Gewalttätigkeit war bisher das Erschlagen einer Mücke gewesen.

»Ich wollte ihn doch nicht umbringen.« Camila sah zu Sammy hinüber, die in die Richtung starrte, in der der Mann verschwunden war. In ihren Augen lagen ein Hauch von Traurigkeit und viel Wut, aber Klara konnte nicht erkennen, gegen wen sie sich richtete. Camila legte den Arm um Sammy. »Tut mir leid. Ich habe wohl ein bisschen überreagiert. Die Hitze macht mich völlig fertig. Kommt, lasst uns zurückgehen!«

* * *

»Jetzt fehlt nur noch Wind, das Material ist komplett. In der nächsten Woche können wir eröffnen.« Mit zwei beschlagenen Gläsern Weißwein in den Händen betrat Jan die Terrasse. Er war barfuß, trug ausgefranste Jeans, ein enges T-Shirt und wirkte sehr jung.

Klara betrachtete ihn, war plötzlich müde, wie betäubt, als hätte sie Schlaftabletten geschluckt. Ihr Haar klebte feucht im Nacken, und sie hatte den Eindruck, mit der schwülen Luft nicht genug Sauerstoff in ihre Lungen zu bekommen. Der intensive Geruch des Lavendels verursachte ihr Kopfschmerzen. Klara schloss die Augen. Sie würde sich seiner nie wirklich sicher sein. Noch waren die acht Jahre, die sie trennten, nicht sichtbar. Sonne und Salzwasser hatten tiefe Linien in Jans Gesicht gezeichnet, die ihn älter erscheinen ließen. Klara war mit guten Genen gesegnet. Das Karamellblond ihrer Haare schluckte einen ersten Anflug von Grau, und tägliches Joggen tat den Rest dazu, sie an guten Tagen noch immer wie Mitte dreißig aussehen zu lassen. Aber das würde sich schon bald ändern.

»Bist du dir sicher, dass du das hier wirklich willst, Jan? Auch in zehn Jahren noch?«

Er hockte sich vor ihr auf den Boden, legte die Unterarme auf ihren Schoß und blickte ihr in die Augen. »Aber sicher. Ist alles in Ordnung, Schatz?«

»Ja. Ich weiß nicht. Ich glaube, es war alles etwas viel heute. Auch Camila ist irgendwie so anders. Vorhin am Strand hätte sie einem armseligen Exhibitionisten fast den Schädel eingeschlagen. Ich bin froh, wenn das Essen vorbei ist. Am liebsten wär ich jetzt einfach mit dir allein.« Sie sehnte sich nach seiner glatten Haut an ihrem Körper und ließ ihre Hand unter sein T-Shirt gleiten.

Jan zwickte sie leicht in die Seite und stand auf. »Ach,

das wird bestimmt nett. In der Surfschule war wieder nur Stress. Sie haben die falschen Segel geliefert. Aber ich habe sie direkt wieder zurückgeschickt. Morgen kommen hoffentlich die richtigen.«

Klara stand auf, stellte sich hinter ihn, legte den Kopf an seinen Rücken und schlang die Arme um seine Brust. »Meinst du, wir haben noch ein bisschen Zeit bis zum Essen?«, fragte sie leise.

Jan drehte sich um, küsste sie leicht aufs Haar und schob sie sanft von sich. »Eher nicht, Schatz. Es wäre doch ziemlich unhöflich, Gil warten zu lassen, wenn er den ganzen Tag für uns an der Paella kocht, oder?«

Mit dem Gefühl, dass der gesamte Tag ein Fiasko war, ließ Klara die Arme sinken und trank ihren Wein aus. »Dann lass uns gehen.«

* * *

Gil stand vor der Paella und wischte sich die Hände an der blauen Schürze ab, die er sich zum Kochen umband, seit Klara ihn kannte. Am Rand der Terrasse stand ein eiserner Dreibeingrill, auf der Glut dampfte der Reis in einer riesigen schwarzen Pfanne. Gils Paella war die beste, die Klara je gegessen hatte. Huhn, Krebse, Muscheln, Garnelen, manchmal Lamm, Erbsen, Chilis ... Das Ganze wurde mit Reis langsam in einer Fischbrühe geschmort, die Gil schon morgens ansetzte und stundenlang köcheln ließ. So sicher, wie sich jedes Nahrungsmittel in Camilas Händen beim Kochen in etwas Ungenießbares verwandelte, zauberte Gil selbst aus simplen Zutaten ein Festessen.

»Ihr kommt gerade recht«, sagte er und umarmte Klara und Jan. »Wie wär's mit ein paar marinierten Sardinen als Vorspeise?«

»Sicher, und Artischocken und ein paar von den Okto-pus-Spießchen.« Klara deutete auf den großen Gartentisch aus breiten glatten Holzplanken, der mit Tapas, Tellern und Gläsern gedeckt war.

»Für ein höfliches ›Mach dir keine Umstände‹ ist es ja sowieso zu spät«, grinste Jan, zwinkerte Sammy zur Begrüßung zu und nahm mit den Fingern eine Olive vom Teller. »Wenn du mir irgendwann das Rezept für die Paella verrätst, bringe ich dir Surfen bei.«

Klara ließ ihren Blick über die Terrasse schweifen. Vor den geöffneten Fenstertüren bewegten sich die wei-ßen Vorhänge wie Nebelschwaden sanft in der Hitze. Den Boden bedeckten gesprungene Terrakotta-Platten, aus deren Ritzen Grasbüschel sprießten, und in der Luft lag der vertraute Geruch von Knoblauch, Fisch und Kräutern. Wenigstens hier schien alles unverändert.

Camila kam mit zwei Flaschen Weißwein und einer beschlagenen Karaffe Wasser aus der Küche und schenkte ein.

Klara glaubte, hinter ihrer Gelassenheit eine seltsame Schwermut zu spüren. »Was macht deine Arbeit? Bist du im Stress wegen der Ausstellung?«

Camila leerte ihr Glas, entkorkte die zweite Flasche und füllte ihr Glas erneut, bevor sie antwortete. »Ich komme einfach nicht weiter. Tag und Nacht stehe ich im Atelier. Bei der Hitze kann ich nachts nicht schlafen, tagsüber nicht vernünftig arbeiten. Und ich kann den Bildern, die ich im Kopf habe, einfach keine Form geben.« Obwohl sie Klara ansah, als sie das sagte, schien sie mit sich selbst zu reden.

»Na und? Was soll das Theater? Du hast ja wohl genug Skulpturen, um damit zwanzig Galerien zu füllen«, unter-brach Gil sie gereizt.

Klara sah ihn verwundert an. Ihr war bereits aufgefallen, dass er ungewohnt ernst war, sein voller Mund leicht verkniffen, als müsse er sich zu jedem Lächeln zwingen. Die Lachfalten, die sonst wie breite Fächer um seine Augen lagen, waren heute nur zarte helle Linien. Es war normalerweise nicht seine Art, jemandem über den Mund zu fahren, schon gar nicht Camila.

»Ach, darum geht's gar nicht. Ich muss was Neues zeigen, sonst verlieren die Leute das Interesse. Und ich schaffe es einfach nicht. So schwer ist das doch wohl nicht zu verstehen, oder?«, fragte Camila kühl. Ihre schwarzen Augen, jetzt kalt und abweisend, trafen auf Gils und hielten seinen Blick fest.

»Bekommst du schon die Bilder im Kopf nicht klar, oder liegt das Problem darin, deine Vorstellungen in Ton umzusetzen?« Klara versuchte das Gespräch wieder auf eine neutrale Ebene zu bringen.

»Ich weiß es nicht. Wohl beides. Ich versuche, die Bilder zu greifen, aber dann sind sie wieder weg. Wie ein Traum, der direkt nach dem Aufwachen da ist, aber je krampfhafter du dich zu erinnern versuchst, desto mehr löst er sich auf. Ich habe bestimmt schon Tausende von Skizzen gezeichnet, aber irgendwie werden alle nicht richtig.« Camila ließ ihre Augen durch den Garten wandern, doch ihr Blick war merkwürdig leer, als hätte sie bereits die Hoffnung aufgegeben zu finden, wonach sie suchte.

Sammy, die das Gespräch mit unbewegtem Gesicht verfolgt hatte, nahm jetzt Klaras Hand und deutete zum Haus.

»Hey, hier geblieben! Jetzt essen wir erst mal. Die Paella ist fertig.« Gil stand auf und trug mit Topflappen die Pfanne zum Tisch. Camila füllte wieder die Gläser.

Beunruhigt stellte Klara fest, dass die beiden jetzt jeden Blickkontakt miteinander vermieden. Nach kurzem, drückendem Schweigen schaute Jan in die Runde und begann geschickt ein Gespräch über das Wetter, Surfen und alternative Energieversorgung. Auch wenn die anderen nur beiläufige Äußerungen einstreuten, schienen sich plötzlich alle blendend zu unterhalten. Als hätten sie sich abgesprochen, ließen sie Porzellan und Gläser klirren, reichten Schüsseln, Pfannen und Brot herum, doch in ihrem Lachen hörte Klara einen falschen Ton.

Nach dem Essen stellte Sammy die Teller zusammen und trug sie in die Küche. Von der Tür aus winkte sie Klara ins Haus. Sie folgte Sammy die Treppe hinauf in die Arbeitsräume, die sie sich mit Camila teilte. Sammy malte, und seitdem Camila sie in unterschiedlichen Techniken unterrichtete, waren aus einer reinen Ausdrucksmöglichkeit erstaunlich professionelle Werke entstanden.

Im Atelier waren große Teile des Daches entfernt und durch Glasscheiben ersetzt worden. Eine nackte Wand trennte die beiden Räume, damit der Betonstaub aus Camilas Bereich sich nicht ungehindert auf Sammys Farben und Leinwände legen konnte.

Sammy schaltete einen Strahler auf ihrem Zeichentisch an, öffnete eine Schublade und zog einen Stapel zerknitterter Blätter heraus. Dann legte sie sie nebeneinander auf den Tisch und glättete sie mit der Handkante. Einige waren zerrissen und mit transparentem Klebestreifen wieder zusammengefügt worden. Klara beugte sich über die Skizzen und versuchte ihr Entsetzen zu verbergen. Angesichts der Orgien von Gewalt, die in groben Strichen auf das Papier geworfen waren, musste sie sich zusammenreißen, um nicht zurückzuzucken.

Sammy schien zu erkennen, was sie dachte, deutete auf

sich, schüttelte energisch den Kopf und zeigte dann zu Camilas Atelier hinüber.

»Camila gefallen die Bilder nicht?«, fragte Klara. Das konnte sie verstehen.

Sammy schüttelte heftiger den Kopf, nahm ein Stück Kohle und schrieb auf ein leeres Blatt: »Das hat Camila gemalt.«

Klara ließ die Hand mit dem Blatt sinken und starrte Sammy an. »Bist du dir sicher?«

Sammy nickte.

Camila hatte schon immer Figuren gestaltet, die an ausgetrocknete Saharaleichen erinnerten. Abgeknickte Glieder, manchmal fehlende Körperteile, undefinierbare Fetzen, die von Körpern herabhingen und verrottende Kleidung oder auch Fleisch sein konnten. Aber Camila selbst hatte nie etwas Totes in diesen Skulpturen gesehen, gab ihnen belebte, heitere Namen wie »Die Tänzerin« oder »Der Läufer« und wunderte sich immer über die Leichenvergleiche. Gewalt war nie direktes Thema ihrer Kunst gewesen. Das Erstaunlichste an ihren Skulpturen war, dass selbst die morbidesten Exemplare immer einen seltsamen Frieden ausgestrahlt hatten. Ganz anders war es jetzt mit diesen Bildern. Es gab Messer, Blut, abgerissene Glieder, aufgeschnittene Körper. Keine Bilder, die ein psychisch intakter Mensch malen würde. Bei Sammy hätte Klara diese Motive als Phase der Genesung deuten können, als Auseinandersetzung mit ihrer Geschichte.

»Hast du die Bilder drüben bei Camila gefunden?« Klara versuchte, den Kloß in ihrem Hals hinunterzuschlucken, doch ihr Mund war ausgetrocknet.

Sammy nickte.

»Weiß sie, dass du sie hast?«

Sie schüttelte den Kopf.

»Kann ich sie haben?«

Sammy zögerte, dann nickte sie erneut. In ihren Augen standen Tränen, obwohl sie versuchte, sie wegzublinzeln.

»Machst du dir Sorgen wegen der Bilder?«

Nicken.

Mit Recht, fand Klara. Irgendetwas musste passiert sein.

»Hat Camila sich in der letzten Zeit verändert?«

Nicken.

»Weißt du, warum?«

Sammy schüttelte den Kopf. Sie hatte den Kampf gegen die Tränen verloren, und sie zogen glitzernde Spuren über ihre dunkle Haut. Ihre weißen Zähne gruben sich in ihre Lippen, als wollte sie ihr Schluchzen unterdrücken. Bei Camila und Gil lebte Sammy vielleicht zum ersten Mal in Sicherheit und Geborgenheit. Abgesehen von ihrem Entschluss, nicht mehr zu sprechen, verhielt sie sich wie die meisten Mädchen ihres Alters, doch Klara wusste, dass diese scheinbare Normalität nur oberflächlich sein konnte.

»Es wird alles gut, Liebes. Ich werd mich um Camila kümmern. Du brauchst keine Angst zu haben«, sagte Klara sanft und fragte sich gleichzeitig, wie sie dieses Versprechen halten sollte.

Sammy nickte und schnäuzte sich in einen Lappen voller Farbreste, der bunte Flecken in ihrem Gesicht hinterließ. Dann legte sie die Handflächen aneinander, hielt die Hände unter die Wange und neigte den Kopf zur Seite.

»Du gehst schlafen?«

Nicken.

»Soll ich noch bei dir bleiben?«

Sammy schüttelte den Kopf, strich Klara über den Arm und verschwand im Bad.

Nachdenklich ging Klara zurück zu den anderen.

Noch immer war die Luft heiß und schwül, aber Jan

zeigte keine Ermüdungserscheinungen als Alleinunterhalter. »Kennt ihr den schon?«

Auf dem Tisch standen einige leere Weinflaschen. Klara trank einen Schluck Wasser, das mittlerweile schal und warm geworden war, dann stand sie auf. »Ich gehe schlafen.«

Jan zögerte und schob dann seinen Stuhl zurück. »Ich komme mit.«

Nach einigen Metern schaute Klara zurück. Camila und Gil saßen sich schweigend gegenüber und blickten aneinander vorbei.

* * *

Gähnend legte Jan den Arm um Klara und schloss die Tür auf. »Ich bin todmüde, Schatz. Ich geh nur noch schnell duschen.«

»Wie wär's mit einer gemeinsamen Dusche?«

»Ach, ich beeil mich lieber.« Schon war er im Bad verschwunden.

Mit Boxershorts bekleidet, kam Jan nach wenigen Minuten ins Schlafzimmer und ließ sich aufs Bett fallen. Zum ersten Mal, seit Klara ihn kannte, hatte er sich nach dem Duschen etwas angezogen. Wie festgefroren saß sie für einen Moment neben ihm. Ihre Blicke trafen sich. Er lächelte ihr unbestimmt zu und griff nach einem Buch auf seinem Nachttisch.

Wortlos stand Klara auf und ging ins Bad, ließ das lauwarme Wasser über ihren Körper laufen und drehte das Gesicht in den harten Strahl, bis es prickelte. Dann stellte sie die Dusche ab, frottierte sich mit Jans feuchtem Badelaken und wollte nackt ins Schlafzimmer gehen. An der Tür zögerte sie, nahm ein langes, weites T-Shirt aus dem

Regal und zog es über. Jan lag mit dem Rücken zu ihr, hatte die Augen geschlossen und atmete gleichmäßig. Klara hielt es für unwahrscheinlich, dass er innerhalb von zehn Minuten in Tiefschlaf gefallen war. Enttäuscht legte sie sich neben ihn und überlegte, ob sie einen weiteren Annäherungsversuch unternehmen sollte.

Wenn irgendetwas zwischen ihnen nicht in Ordnung wäre, hätte er sie wohl kaum aus Dortmund abgeholt. Dennoch spürte sie einen Stich im Bauch, begleitet von aufsteigender Angst. Aber vielleicht wünschte er sich die Nähe genau wie sie und war nur unsicher. Sie waren fast drei Monate getrennt gewesen. Klara schmiegte sich an seinen Rücken, legte den Arm um ihn und streichelte ihn langsam. Seine glatte Haut war seidig und kühl unter ihren Fingern.

Jan legte seine Hand auf ihre und hielt sie mit sanftem Druck fest. »Lass uns schlafen, Schatz. Ich muss morgen früh raus.«

Klara blickte auf seinen Hinterkopf, der sich schemenhaft im Mondlicht abzeichnete, und begann lautlos zu weinen.

* * *

Plötzlich war Klara hellwach. Mit Herzklopfen setzte sie sich auf. Sie konnte sich nicht erinnern, was sie geweckt hatte, war ins Bewusstsein getaucht wie eine Luftblase, die durch zähen Sirup an die Oberfläche steigt und zerplatzt. Es war noch dunkel. Sie sah auf den Wecker. Kaum zwei Stunden hatte sie geschlafen, war aber wie aufgepeitscht und wusste, dass sie nicht mehr einschlafen konnte.

Leise stand sie auf, zog ihre Laufhose an, streifte die Turnschuhe über und ging hinaus. Die Morgendämmerung war noch nicht angebrochen, aber der Schein des Mondes erhellte den Garten. Im Halbdunkel wirkten die Schatten unter den Bäumen formlos und undurchdringlich. Nachdem sich ihre Augen an das schwache Licht gewöhnt hatten, lief sie zur Treppe und stieg zum Strand hinab. Das Meer hatte das bleierne Grauschwarz von Gewitterwolken angenommen, auf dem das Mondlicht silbern glitzerte. Klara fühlte sich allein, als wäre sie der einzige Mensch, der in dieser Nacht wach war. Die Flut hatte sich erst vor kurzem zurückgezogen und einen festen Streifen nassen Sandes hinterlassen. Langsam begann sie, auf der Stelle zu traben und tief durchzuatmen, dann lief sie los. Nach den ersten zehn Minuten verschärfte sie ihr Tempo, doch vor ihrer Angst konnte sie nicht weglaufen. »Jan, Jan, Jan«, dachte sie im Takt ihrer Schritte. Sie wusste nicht, ob es Paranoia oder Instinkt war, aber sie war sicher, ihn zu verlieren. Sie beschleunigte weiter, spurtete eher als zu joggen, bis das Rauschen des Blutes in ihren Ohren alle Gedanken übertönte und der Schmerz in ihren Muskeln keinen Raum für andere Gefühle ließ. Keuchend erreichte sie den Badestrand von Conil. Selbst für die üblichen Pärchen war es zu spät. Klara drehte um und lief in gemächlicherem Tempo zurück zur Surfschule. Das Mondlicht hatte das fröhliche Blau der Wände geschluckt und ließ die Hütte von weitem wie ein Schattengebilde wirken. Erst als Klara näher kam, schälten sich die vertrauten Konturen aus dem Dunkel. Sie lief zur Hütte und sank in einen der Segeltuchsessel. Endlich kamen Tränen.

Lautes Hundegebell holte sie aus ihrem Schmerz. Sie trocknete ihr Gesicht mit ihrem T-Shirt und sah auf. Eine transparente Wolkenbank war vor den Mond gezogen wie ein Schleier. Plötzlich empfand sie die Schatten als bedrohlich. Erst jetzt bemerkte sie, wie kühl die Nachtluft über ihren schweißnassen Körper strich, und schauderte. Am

Rand des Wassers jagten sich zwei streunende Hunde und gaben der düsteren Szenerie ein Stück Lebendigkeit.

Klara kniff die Augen zusammen, als sich in der Dunkelheit eine menschliche Gestalt abzeichnete. Reflexartig drückte sie sich tiefer in den Stuhl. Die Hunde liefen bellend auf den Schatten zu, sprangen dann wieder wie spielend zurück. Einer der beiden hielt Abstand. Der andere war zutraulicher, warf einen Gegenstand vor die Füße des nächtlichen Spaziergängers und zuckte nicht vor der Hand zurück, die ihn zu streicheln schien. Plötzlich sackte der große Körper des Tieres zusammen. Ohne innezuhalten ging die Gestalt weiter. Der Hund blieb als dunkle Erhebung auf dem Sand zurück. Das zweite Tier schnüffelte an dem reglosen Körper. Sein Winseln mischte sich mit dem Zirpen der Zikaden. Hatte der Mann den Hund etwa getötet? Aber das war verrückt. Sie wagte nicht nachzusehen, was passiert war. Vielleicht war sie doch nicht erwacht, nur von einem Alptraum in den nächsten gerutscht.

Die Gestalt war in derselben Richtung verschwunden, in die auch Klara gehen musste, wenn sie zur Treppe wollte. Sie wollte ihr aber auf keinen Fall begegnen und lief daher im Schutz der Bäume auf dem wesentlich längeren Landweg zurück.

Als sie zu Hause ankam, dämmerte bereits der Morgen. Das Erlebnis am Strand kam ihr im Licht der sanften Farben unwirklich vor, wie das Ergebnis ihrer überreizten Phantasie. Sie hätte sich überzeugen sollen, ob dem Hund etwas zugestoßen war.

Um Jan nicht zu wecken, spülte sie mit dem Gartenschlauch den Schweiß von ihrer Haut und schlich leise ins Bett.

* * *

Klara erwachte vom Prasseln der Dusche. Das Bett neben ihr war leer. Der Radiowecker auf dem Nachttisch zeigte halb neun. Ihr Kopf summte, als versuchte ein Schwarm Wespen, sich einzunisten. Die Sonne stand noch nicht hoch am wolkenlosen Himmel, aber im Schlafzimmer war es bereits heiß und stickig.

Klara stemmte sich aus dem Bett und öffnete die breite Glastür zum Garten. Die Luft draußen war kaum kühler als im Zimmer, roch aber frischer. Sie lockerte ihr verschwitztes Haar mit den Fingern und streifte ihr schweißnasses T-Shirt ab, dann ließ sie sich wieder ins Bett fallen und rutschte auf der Suche nach einer trockenen Stelle über das feuchte Laken.

Die vergangene Nacht kam ihr wie ein Traum vor. Ihre Ängste und die Idee, jemand hätte am Strand einen Hund getötet, wirkten im Morgenlicht absurd. Als sie das Geräusch der Badezimmertür hörte, verharrte sie. Vielleicht würde Jan sie jetzt wecken wie sonst. Auf nackten Füßen tappte er zum Bett und hauchte einen Kuss auf ihre Schläfe. Von seinem nassen Haar lösten sich kalte Tropfen und fielen wie Regen auf ihre Haut.

Sie öffnete die Augen. »Guten Morgen.«

»Schon wach, Liebes?«

»Nicht so richtig. Wann kommst du zurück?«, fragte sie und zupfte an seinem engen T-Shirt. Sie riss sich zusammen, ihn nicht ins Bett zu zerren.

»Weiß nicht genau. Spätestens heute Nachmittag. Ich rufe dich nachher an. Wenn du Lust hast, zeige ich dir später die Surfschule. Du wirst sie nicht wiedererkennen.«

»Musst du direkt los?«

»Ich bin sogar schon zu spät dran«, sagte er und beugte sich über sie.

Klara spürte seinen Atem an ihrem Hals. Sie drehte den Kopf und strich mit ihren Lippen über seine.

Er gab ihr einen kurzen abschließenden Schmatzer auf die Lippen.

»Wenn du ein paar Minuten wartest, komme ich mit und helfe dir.« Sie strich mit den Fingern durch sein nasses, kaltes Haar.

Er legte die Hände auf ihre Schultern und hielt sie sanft auf Abstand. »Das wird zu knapp. Außerdem hast du hier doch genug zu tun.«

Ein Kolibri schien in ihrem Magen zu schwirren.

Jan sah auf seine Armbanduhr. »Es reicht nicht mal mehr für einen Kaffee. Ab neun wollte der Lieferant mit den Segeln kommen. Aber ich freue mich schon auf heute Abend.« Er wuschelte durch ihr Haar. »Bis später, Schatz.«

Klara zog die Knie an und legte den Kopf auf ihre Arme. Mit ihrem Job und ihrem fest gefügten Leben schien auch ihre Klarheit in Dortmund zurückgeblieben zu sein. Ohne dass sie Alarmsignale auf dem Weg bemerkt hatte. Sie mussten da gewesen sein, doch sie konnte nicht einmal genau benennen, was wirklich los war. Vielleicht war es einfach nur zu heiß. Klara öffnete sämtliche Fenster und Türen in der Hoffnung, dass Durchzug die Hitze in Bewegung versetzen würde, die bleiern das Zimmer füllte, und nahm die erste Umzugskiste in Angriff.

* * *

»Ein großes Wasser bitte. Mit viel Eis.« Klara lehnte sich in einem der niedrigen Segeltuchstühle der Strandbar zurück und schaute sich um. Das Meer schwappte träge an den Strand. Links und rechts vor ihr bräunten Urlauber im Sand wie Hähnchen am Grill. Selbst unter den schattigen

Inseln ihrer Sonnenschirme schützten die meisten Waden, Kopf oder Schultern mit Handtüchern gegen die glühende Sonne.

Sämtliche Kisten und Koffer waren ausgepackt. Jan hatte sich nicht gemeldet. Bei jedem Anruf auf seinem Handy hatte ihr nur die Ansage der Mailbox geantwortet. Nach zwei Orangen zum Mittagessen, die wie in Essig getränkte Schwämme geschmeckt hatten, war sie an den Strand gegangen und in der *La Ola Bar* gelandet.

Hinter dem Holztresen präsentierte der fast kahl geschorene Barkeeper seine athletischen Arme im Muskelshirt und mixte zu House-Rhythmen die Cocktails. Saft, bunte Liköre, Eis und ein Stück Orange auf den Rand gesteckt. Die Kellnerin im rosa Stretchtop und abgeschnittenen Jeans balancierte geschickt ein mit Gläsern gefülltes Tablett zwischen den Tischen hindurch. Für jeden Gast hatte sie ein Lächeln.

Drinks verteilen sollte demnächst auch ihr Job sein. Klara starrte auf die Tropfen, die an ihrem Glas perlten. Sie fischte einen Eiswürfel heraus, schloss die Augen und ließ ihn über ihr Gesicht gleiten.

»Ist hier noch frei?« Der Duft von Kaffee stieg Klara in die Nase und mischte sich mit dem Geruch der frittierten Sardinen vom Nachbartisch. Sie blickte auf, direkt in glänzende schwarze Augen, und musterte den Mann, der mit einer Tasse in der Hand vor ihrem Tisch stand. Mitte vierzig, die Haare zurückgekämmt, einzelne Strähnen fielen ihm locker in die Stirn. Er trug eine weite weiße Leinenhose und ein ärmelloses weißes Hemd.

»Und, ist die Prüfung zu meinen Gunsten ausgefallen?« Er lächelte sie an.

Klara errötete. »Setzen Sie sich.« Früher hätte sie ihn geduzt, dachte sie melancholisch. Am Strand sowieso.

»Du siehst traurig aus«, sagte er leise, ohne eine Frage in der Stimme.

Unangenehm berührt von seiner Vertraulichkeit drehte Klara den Kopf weg und sah zum Horizont. Durch den Dunst über dem Wasser konnte sie nicht erkennen, wo der Himmel endete und das Meer begann.

»Tut mir leid. Ich wollte nicht aufdringlich sein.« Er zog seine langen Beine unter dem Tisch hervor und griff nach seiner Tasse. »Ich suche mir einen anderen Platz.«

»Nein, nein, schon gut. Bleib sitzen. Ich habe nur keine Lust zu reden.« Sie grinste ihn schief an.

»Okay.«

Eine Weile saßen sie schweigend da, schauten auf das offene Meer, eigenartig verbunden. Der Fremde steckte sich eine Zigarette an und rauchte mit tiefen Zügen. Um sie herum lachten andere Gäste, Kinder kreischten beim Spielen im Wasser. Am Nachbartisch quietschten zwei Frauen immer wieder vor Begeisterung, wenn die Dritte ein Nebelhorn imitierte.

»Hast du Lust ein Stück zu laufen? Ohne Reden, wenn du möchtest. Oft hilft es, einfach nicht allein zu sein. Manchmal gerade dann, wenn es ein Fremder ist.«

Klara fragte sich, ob er ein Kollege war. »Warum eigentlich nicht? Gehen wir!«

Sie legten Geld auf den Tisch und gingen zum Wasser hinunter. Die Luft war noch immer schwül, roch dumpf nach Seetang und Fisch. Wie ein nasses, heißes Tuch legte sich die Sonne über sie. Der Fremde blieb stehen, bückte sich und rollte seine Hose bis zu den Knien hoch. Mit einer abgeschliffenen grünen Glasscherbe in der Hand stand er auf und steckte sie in die Hosentasche. »Ich bin Mateo. Mateo Silva.«

»Klara Keitz.«

Er wählte den Weg in Richtung Steilklippen, weg von den Urlaubermassen. Schweigend schlenderten sie mit den Füßen durch das lauwarme Wasser. Nach zehn Minuten sah Klara den Windsack und die Fahnen ihrer Surfstation vor sich, schlaff, als wären sie an den Masten herabgeflossen. Tür und Fensterläden, die sich weiß von den blauen Wänden abhoben, waren geschlossen. Klara und Jan hatten tagelang Farbprospekte gewälzt, bis sie genau dieses Pastellblau gefunden hatten, das der alte VW-Käfer von Klaras Eltern gehabt hatte. Unter dem Sonnendach aus Stroh standen zwei blaue Liegen und drei Holzstühle. Der Tisch in der Mitte war mit einem Bein zur Hälfte im Sand versunken. Ein hohes Metallgestell auf Rädern zum Transportieren der Surfbretter und Segel stand leer neben der Hütte.

Ohne stehen zu bleiben, deutete Klara auf die frisch gestrichene Bretterhütte. »Das ist meine. Surfschule, meine ich. Von mir und meinem Freund.« Klara lief schneller. Unter ihren Füßen spritzte das Wasser auf.

»Aha.« Mateo beschleunigte ebenfalls und holte sie wieder ein. »Aber da willst du offensichtlich nicht hin.«

Als sie die Station hinter sich gelassen hatte, verlangsamte Klara. Schweigend gingen sie weiter. Von einem toten Hund war nichts zu sehen. Nach einer halben Stunde erreichten sie die Felsen. Rechts von ihnen stiegen sie gleichmäßig an, bis sie nach etwas mehr als einem Kilometer als schroffe Klippen hoch über das Meer ragten. Am Fuß waren sie von den Gezeiten ausgewaschen. Überhängendes Gestein war herabgefallen und bedeckte in faustgroßen bis mannshohen Brocken den Strand.

Mateo blieb stehen, schaute nach rechts, ging weiter. Er verharrte wieder, schaute sich noch einmal um, ging einen Schritt zurück und griff nach Klaras Arm. »Warte mal.«

Klara spähte in die Richtung, in der ihn irgendetwas zu fesseln schien, und sah einen hellen Fleck zwischen den Steinen am Fuß der Felsen. Sie kniff die Augen zusammen und erkannte blondes Haar zwischen den Steinen.

»Da liegt jemand.« Mateo ging noch einen Schritt näher heran.

»Da ist er hier am Strand ja nun nicht der Einzige.«

»Aber da hinten, zwischen den Felsen?«

»Vielleicht ein Schattensuchender. Oder ein Pärchen, das ungestört sein will.« Klara wandte sich ab und wollte weitergehen, doch Mateo blieb unschlüssig stehen.

»Ich weiß nicht, irgendwas kommt mir komisch vor. Der liegt da so still.«

»Wahrscheinlich eingeschlafen.«

»Oder wegen der Hitze kollabiert. Das kommt zurzeit öfter vor.« Mateo ging ein paar Schritte näher zu den Steinen.

Der blonde Kopf rührte sich nicht. Klara schirmte die Augen mit der Hand gegen die Sonne ab und blickte hinüber, hin und her gerissen zwischen dem Wunsch, diskret weiterzugehen, und der leisen Beunruhigung, dass jemand Hilfe brauchen könnte. Mateo war jetzt hinter dem Felsen. Ein Schwarm Fliegen hob sich summend in die Luft.

»Komm, schnell.« Dann sprang er auf und schob sich vor sie. »Nein, nein, bleib weg, geh da nicht hin.« Klara versuchte, ihn zur Seite zu schieben, aber er verstellte ihr den Weg. »Wir müssen Hilfe holen.«

»Was ist da los?« Sie wollte um ihn herumgehen, aber er griff nach ihrem Arm und hielt sie fest.

»Da liegt ein Toter. Wir müssen die Polizei rufen. Verflucht, ausgerechnet jetzt habe ich mein Handy nicht dabei.«

Klara machte mit einem Ruck ihre Arme frei und schob sich energisch an Mateo vorbei. »Lass mich. Ich bin Ärztin. Vielleicht kann ich noch helfen.«

»Also … das glaub ich eher nicht«, antwortete er und hustete.

Wie ein Stück Treibholz lag der Körper eines Mannes zwischen den Steinen. Sein Gesicht zeigte nach oben. Das linke Bein lag in einem unnatürlichen Winkel mit dem Knöchel auf dem rechten Oberschenkel. Die Arme waren nach oben ausgestreckt, die Handflächen ineinander gelegt. Er war schlank, mit Jeans und einem weißen T-Shirt bekleidet. Das Hemd war blutig, in Fetzen gerissen oder geschnitten, die Brust von zahlreichen Stichen übersät. Die Unterarme wiesen Schnitte auf, als hätte er sie erhoben, um die Stöße abzuwehren.

Die toten Augen starrten ins Leere, stumpf von der Hitze. Eine schillernde Fliege krabbelte über seinen Fuß. Er war regelrecht verstümmelt worden, die Nase nur noch ein unförmiger Klumpen. Blut bedeckte sein Gesicht und machte das, was von den Gesichtszügen noch übrig war, unkenntlich. Eine rote Linie zog sich über den Hals des Toten. Der Schnitt durch die Kehle war nicht tief. Es war kaum Blut ausgetreten. Vermutlich hatte man ihm diese Verletzung erst nach dem Tod zugefügt. Das weißblonde Haar war so mit schwarz getrocknetem Blut getränkt, dass es wie gestreift wirkte. Klara sah genauer hin und zuckte zusammen. Das war kein Blut. In die schwarzen Haare waren weiße Strähnen eingefärbt.

Sie hatte bei ihrer Arbeit als Psychiaterin keine Leichen gesehen, die letzte in ihrem Medizinstudium. Allerdings war sie zu Patienten gerufen worden, die kaum weniger schlimm ausgesehen hatten als der Mann vor ihr. Klara trat einen Schritt zurück.

»Stimmt, hier kann ich wirklich nichts mehr tun.« Sie zog ihr Handy aus der Tasche und wählte. »Verbinden Sie mich bitte mit Comisario Sànchez Algarra.«

Sie kannte den Kommissar seit zwei Jahren. Gemeinsam hatten sie damals einige Kinder, eines von ihnen Sammy, aus dem Bordell befreit. Auf dieser Suche nach der Tochter einer Urlauberin hatte er sich gegen seine Kollegen gestellt, seinen Job aufs Spiel gesetzt und sämtliche Regeln gebrochen. Mit Erfolg.

Sànchez' Stimme dröhnte aus dem Hörer. »Klara! Sie sind endlich da! Sie müssen unbedingt zu uns zum Essen kommen.«

»Jederzeit. Aber jetzt bin ich gerade am Strand. Hier ist eine Leiche.«

»Also wirklich, Klara! Immer einen Scherz auf den Lippen«, lachte der Comisario.

»Das ist kein Witz. Hier liegt ein Mann, vermutlich erstochen. Mit Sicherheit tot. Bitte kommen Sie!«

»Sind Sie in Gefahr? Wo genau sind Sie?« Sànchez hatte einen dienstlichen Tonfall angenommen.

Klara gab ihre Position durch. Über ihnen krächzten Möwen. Sie roch Salz, Sonne, heißen Sand. Und den süßlichen Geruch von faulendem Fleisch, leicht, aber unverkennbar. Sie fing an zu zittern, ihre Knie gaben nach. Sie löste sich aus dem Schatten der Felsen, entfernte sich ein Stück von der Leiche und ließ sich mit verschränkten Beinen in den Sand sinken. Ihre Hände zuckten in ihrem Schoß, als hätten sie ein Eigenleben. Klara beobachtete sie interessiert. Sie musste der Polizei von dem Erlebnis gestern am Strand berichten. Wenn es sich bei der Leiche wirklich um den Exhibitionisten handelte, hatte Camila vielleicht doch Recht gehabt, und er war weiter gegangen, als sich Frauen zu zeigen. Dann machte es allerdings keinen guten Eindruck, dass Camila dem Mordopfer gestern fast den Schädel zertrümmert hätte.

»Bist du in Ordnung?« Mateo hockte sich neben Klara in den Sand.

»Ja, geht schon wieder. Es war nur der Geruch …« Das Zittern ihrer Hände ließ nach, und sie zog ihr Telefon aus der Tasche. Sie wollte Jans Stimme hören.

»Dieser Anschluss ist im Moment nicht erreichbar.«

Wo zum Teufel trieb er sich den ganzen Tag herum?

Das Heulen mehrerer Sirenen näherte sich. Mit einem letzten Aufjaulen verstummten sie auf der Klippe über ihnen. Klara hörte Türenschlagen und laute Stimmen, die schnell durcheinander sprachen. Kurz darauf kletterten sechs Männer und eine Frau in den blauweißen Uniformen der *Policía Municipal* eine der Treppen zum Strand herunter, die in regelmäßigen Abständen in die Felswand gehauen waren.

Comisario Sànchez Algarra stürmte voraus. Er trug weder Uniformjacke noch Krawatte. Sein dicker Körper drohte das prall sitzende weiße Hemd zu sprengen. Trotz der Hitze war es bis zum Hals zugeknöpft und ohne Schweißränder. Nur auf seiner Stirn standen helle Tropfen. Spontan breitete er die Arme wie zur Begrüßung aus, streckte Klara dann aber förmlich die Hand entgegen. »Sie haben die Leiche gefunden?«

Klara öffnete den Mund, um Sànchez zu erklären, dass der Tote zuerst Mateo aufgefallen war, als dieser schon zustimmend nickte und dem Comisario seine Personalien nannte. Er war kein Kollege, sondern Kinderarzt mit einer Praxis in Jerez und einem Haus in Conil.

Über den Strand näherten sich ein Krankenwagen und ein weißer Geländewagen mit dem Wappen der Polizei auf Türen und Motorhaube. An den Felsen untersuchten

Beamte der Spurensicherung mit Plastiktüten in den Händen Zentimeter um Zentimeter den Sand. Ein magerer Mann mit aufgekrempelten Hemdsärmeln, der die anderen um fast einen Kopf überragte, machte Fotos. Ein stämmiger Kollege zog gelbes Absperrband um den Tatort und fluchte, als eine Steinlawine von den Felsen herabprasselte.

Irgendetwas ließ Klara keine Ruhe. Sie blickte zu der Leiche, aber die Beamten, die um den Toten herumliefen, verstellten ihr die Sicht. Etwas war ihr im ersten Moment, als sie ihn gesehen hatte, seltsam bekannt vorgekommen, aber es war nicht der Mann selbst.

Klara bewegte die Hand vor ihrem Gesicht, als wollte sie eine Fliege vertreiben, und drehte sich zu Sànchez um. »Ich bin mir ziemlich sicher, dass ich den Ermordeten schon einmal gesehen habe. Gestern. Ich war mit Sammy und Camila am Strand, ein Stück weiter unten, direkt vor unserer Treppe.« Sie zeigte den Strand hinunter. »Er ist mit einer Erektion vor uns auf und ab stolziert, dann hat er auf seiner Decke an sich herumgespielt. Wir sind dann gegangen. Absolut sicher bin ich nicht, dass er es ist, aber der Mann hatte jedenfalls die gleiche Frisur.«

Mateo hatte die grüne Glasscherbe aus seiner Tasche gezogen und drehte sie zwischen den Fingern wie ein Taschenspieler.

»Waren außer Ihnen noch andere Leute am Strand?« Sànchez leckte an seinem Bleistift und schrieb in ein schwarzes Heft.

»Nein, wir waren allein. Camila, Sammy und ich. Und der Mann mit dem gefärbten Haar.« Klara dachte nach. »Möglich, dass noch jemand auf den Klippen war, darauf habe ich nicht geachtet, aber unten am Strand war niemand außer uns.«

»Das war alles?«

»Ja.« Klara fühlte sich unwohl bei der Lüge, aber Camilas Angriff hatte mit dem Mord schließlich nichts zu tun. »Zumindest gestern. Ich war heute Nacht am Strand und habe jemanden gesehen. Vielleicht hat er einen streunenden Hund getötet.«

Mateo und der Comisario starrten sie verblüfft an.

»Einen Hund getötet?«, wiederholte Sànchez irritiert. »Wieso?«

»Ich weiß es nicht. Vielleicht war auch nichts. Es war völlig dunkel, so gegen drei, vier Uhr. Ich habe an der Surfschule gesessen und aufs Meer geblickt. Es war eine ganz seltsame Szenerie: Irgendjemand ist in Richtung Treppe gegangen. Ein Strandhund sprang die Gestalt immer wieder an, wollte wahrscheinlich spielen. Erst dachte ich, sie streichelt den Hund, aber dann ist das Tier plötzlich umgefallen, nicht mehr aufgestanden, es sah aus, als ob es tot wäre … Aber ich bin nicht sicher. Ich hatte Angst nachzusehen.«

»War es ein Mann oder eine Frau?«

»Keine Ahnung, es war nur ein schwarzer Schatten. Mehr als eine Silhouette konnte ich nicht erkennen. Ich bin kaum sicher, dass ich das alles nicht geträumt habe. Aber jetzt, wo hier die Leiche liegt …«

Sànchez schob seine Mütze in den Nacken und wischte sich über die Stirn. »Ich werde gleich einen meiner Männer zur Surfschule schicken. Vielleicht ist dort etwas zu finden. Konnten Sie denn überhaupt nichts erkennen? Blond, braunhaarig, groß, klein?«

Klara zuckte hilflos die Achseln. »Es war zu dunkel.«

»Vielleicht fällt Ihnen ja noch etwas ein. Es kann gut sein, dass Sie den Mörder gesehen haben. – Inspectora!« Sànchez winkte eine uniformierte Frau heran. Sie hatte ihr schwarzes Haar zu einem strammen Knoten geschlungen, der ihre Gesichtshaut nach hinten zog und ihr ein asiatisches Aussehen gab. In dem dunklen Flaum auf ihrer Oberlippe perlte Schweiß.

»Inspectora Ortega fährt mit Ihnen zum Revier und nimmt Ihre Aussage auf.« Er drückte kurz Klaras Hand. »Wenn wir uns nicht mehr sehen, rufe ich Sie an.«

* * *

»Hast du Lust, noch einen Kaffee zu trinken? Oder etwas zu essen? Ich habe wahnsinnigen Hunger.« Mateo blickte auf seine Armbanduhr. »Drei Stunden! Vielleicht hätten wir doch besser weitergehen sollen.«

Er hielt Klara die schwere Holztür des Polizeigebäudes auf. Nach der angenehmen Kühle in dem massiven, weiß getünchten Altbau, der in die Stadtmauern von Conil gebaut war, wirkte die Hitze in der schattenlosen Gasse umso stechender. Fast sehnsüchtig dachte Klara an einen verregneten Dortmunder Nachmittag, zog ihre Sonnenbrille aus der Tasche und setzte sie auf. Die schmale Straße war mit Autos gesäumt. Drei Jungs auf frisierten Mopeds knatterten dicht an ihnen vorbei und ließen eine weiße, stinkende Abgaswolke zurück. In das verebbende Dröhnen der Roller schrillte Klaras Handy. Sie wühlte in der Handtasche, und beim letzten Klingeln stießen ihre Finger auf das vibrierende Gerät. *Jan* stand auf der Anzeige der entgangenen Anrufe. Sie rief zurück.

»Wo steckst du?« Sie hoffte, dass Jan ihren leicht jammernden Tonfall überhörte.

»Immer noch in der Surfschule. Du kannst dir nicht vorstellen, was hier noch alles zu tun ist, wenn wir nächste Woche eröffnen wollen. Wo bist du?«

»In Conil. Vor der Polizeiwache.«

»Polizei? Ist dir was passiert?« Die Besorgnis in Jans Stimme versöhnte Klara mit dem Tag ohne Anruf.

»Ich habe eine Leiche am Strand gefunden und musste hier alles zu Protokoll geben. Ich bin grad fertig.«

»Geht es dir gut? Soll ich dich abholen?«

Klara blickte zu Mateo, der die Stufen vor dem Eingang hinuntergegangen war, an einer Hausmauer lehnte und eine Zigarette rauchte. »Mir geht's gut. Wann kannst du hier sein?«

»In zehn Minuten. Ich fahre sofort los.«

Klara ging zu Mateo. »Mein Freund kommt und holt mich ab.«

»Dann ein andermal? Ich hätte dich gern unter anderen Umständen kennen gelernt.« Er lächelte sie an.

»Ein andermal.« Klara streckte ihm die Hand hin.

Mateo griff zu und hielt sie fest, während er mit der Linken in seiner Hosentasche suchte und eine zerknitterte Visitenkarte herauszog. »Wenn du Lust hast, ruf mich an. Ich bin oft in Conil. Im Sommer fast jeden Tag.« Sanft wie ein Schmetterlingsflügel berührte er Klaras Wange.

Kaum war sie allein, meldete sich die quälende Unruhe zurück. Was war ihr an dem Toten so komisch vorgekommen? Sie hatte den Eindruck gehabt, als habe der Mörder die Leiche in rasender Wut so entsetzlich zugerichtet, dann aber mit ihr gespielt wie mit einer Puppe. Vielleicht hatte eine andere Frau noch heftiger reagiert als Camila. Allerdings deutete das Drapieren der Leiche nicht auf einen Mord im Affekt hin.

»Schatz!« Jan sprang aus dem Auto, nahm sie in die Arme und vergrub das Gesicht in ihrem Haar, als habe er sie wochenlang nicht gesehen. »Erzähl! Was war das mit der Leiche am Strand?«

»Ich habe einen Spaziergang gemacht und dann haben wir einen Toten unter den Felsen gesehen.«

»Wir?«

»Ach, Mateo und ich. Ich habe ihn bei einem Kaffee im *La Ola* kennen gelernt und wir sind ein bisschen am Strand entlanggegangen. Allein wäre mir die Leiche gar nicht aufgefallen. Ich dachte, jemand wollte seine Ruhe. Das Komische ist, dass Camila, Sammy und ich diesen Mann gestern noch am Strand gesehen haben. Er hat bei unserem Anblick äußerst lebendig an sich herumgespielt, und Camila hätte ihn fast erschlagen.«

Klaras Café-Bekanntschaft schien Jan mehr zu interessieren als die Leiche. »Mateo.« Er betonte jede einzelne Silbe und ließ sie zwischen ihnen in der Luft hängen.

Klara blickte Jan von der Seite an. »Wir sind übrigens an der Surfschule vorbeigekommen, gegen Mittag. Alles war zu.«

»Ich war kurz in der Stadt, Farbe kaufen. War es eine Wasserleiche?«

»Nein. Er war – na ja, am ehesten wohl erstochen, völlig übel zugerichtet. Mich verwirrt vor allem, dass mir irgendetwas an dem Bild ganz bekannt vorkam, als ich die Leiche dort liegen sah, aber mir fällt absolut nicht ein, was.«

»So etwas habe ich auch schon erlebt. Wenn mir was besonders Schreckliches passiert, habe ich manchmal das Gefühl, das schon zu kennen. Als wollte mein Unterbewusstsein es dadurch etwas abpolstern. So im Sinn von ›Wenn ich das schon mal gesehen habe, ist es nicht so schlimm wie beim ersten Mal‹.«

Klara kicherte und küsste Jan auf die Wange. »Hört, hört! Hast du heimlich Psychologiebücher gewälzt? Obwohl – diese Theorie zu Déjà-vus ist mir neu. Aber nicht uninteressant.« Sie streifte die Schuhe ab und legte die Füße, die sich nach Stunden in Turnschuhen wie gekocht anfühlten, auf das Armaturenbrett. »Vielleicht ist es ja wirklich nur das. Hast du übrigens heute Morgen einen toten oder verletzten Hund an der Surfschule gefunden?«

»Nein. Wie kommst du denn darauf?«

»Ach, nur ein blöder Gedanke. Ich dachte, ich hätte etwas gesehen … Vergiss es.«

* * *

Klara erwachte gegen neun. In den Schenkeln spürte sie eine angenehme Mattigkeit, die sie an die Nacht mit Jan erinnerte. Lächelnd drehte sie sich um, aber das Bett war leer. Auf dem Kopfkissen lag ein Zettel: »Bin schon weg, rufe dich später an, Brötchen und Kaffee stehen auf dem Tisch, Kuss.«

Von einem milchig blauen Himmel schien fahl die Sonne. Selbst die Vögel schienen in der Hitze ihre Stimme verloren zu haben, nur das Summen der Fliegen lag in der bleiernen Luft. Seufzend stand Klara auf, lud Kaffee, Brötchen, Salami, Ziegenkäse auf ein Tablett, stellte das Schälchen mit den restlichen Vanillekeksen dazu und verschwand damit wieder im Bett. Sie mischte ihren Kaffee mit Milch und betrachtete nachdenklich das Gemälde, das an der Wand neben der Gartentür lehnte. Sammy hatte es ihr bei ihrem letzten Besuch geschenkt. Es schien ihre heutige Stimmung eingefangen zu haben, bevor sie sie selbst gefühlt hatte.

Pinselstrich und Kompositionen hatte Sammy seit dem ersten Bild, das Klara von ihr gesehen hatte, deutlich weiterentwickelt. Fast fotorealistisch gemalt, stand Klara im unteren Drittel des Bildes. An den Rändern verwischten die Konturen, verborgen wie durch einen Nebelschleier.

Klaras Gestalt wirkte kraftvoll, leuchtend, fast flimmernd, obwohl Sammy nur verschiedenste Schattierungen von Grau verwendet hatte, und doch strahlte das Gemälde als Ganzes eine verstörende Verlassenheit aus. Das Bild der Leiche tauchte vor ihren Augen auf, aber sie schüttelte den Gedanken ab. Dennoch verursachte ihr der Anblick der roten *chorizo* Übelkeit. Sie stand auf und stellte die Paprika-Salami auf die Fensterbank.

Ihre Gedanken kehrten zum vergangenen Abend zurück. Camila hatte sich mehr für Klaras Déjà-vu-Gefühl interessiert als für die Tatsache, dass der Exhibitionist ermordet worden war, und sich sogar die Stellung des Opfers von ihr aufzeichnen lassen.

Klaras Kopf tat weh. Sie spülte ein Aspirin mit dem Kaffee hinunter. Um sie auf andere Gedanken zu bringen, hatte Gil gestern Abend einige Flaschen Rot- und Weißwein aus dem Keller geholt. Sie erinnerte sich nicht mehr, wie viele, aber der Wein hatte ausgezeichnet geschmeckt. Und hatte endlich die Fremdheit zwischen Jan und ihr weggespült. In der Nacht war es zwischen ihnen wie immer gewesen. Nur dass er ihr nicht in die Augen gesehen hatte, als sie sich liebten. Es klingelte.

»Einen Augenblick!«

Klaras Stimme war heiser, sie räusperte sich und ging mit ihrer Kaffeetasse zur Tür.

»Guten Morgen. Habe ich dich geweckt?« Jane Pettigrew setzte ihre weiße Strandtasche ab und nahm Klara in die Arme. »Ich habe gehört, dass du erst zwei Tage hier bist und gestern gleich eine Leiche gefunden hast.« Ihr Spanisch hatte einen leicht britischen Akzent, doch sie sprach es schon seit langem fließend.

Jane war eine zierliche Frau Ende sechzig mit zart gebräuntem Gesicht und funkelnden Augen von einem tiefen Veilchenblau. Ihr Haar war fast völlig ergraut, eine seidige, sorgfältig geschnittene Haube.

Klara rückte zwei Stühle in den Schatten der Zypressen, die neben ihrer Terrasse wuchsen, und Jane setzte sich graziös. Ihr schlichtes weißes Leinenkleid sah maßgeschneidert aus. Allerdings war Jane der Typ Frau, an dem selbst billige Klunker echt wirkten. In ihrer Jugend musste sie eine Schönheit gewesen sein, und noch immer strahlte sie etwas ungeheuer Anziehendes aus.

Eine Schar Fliegen hob sich kurz über einem kleinen Lorbeerbusch und senkte sich wieder. Sicher lag Abfall im Beet, vielleicht eine tote Ratte. Klara pflückte eine Hand voll Lavendelblüten, zerrieb sie zwischen den Fingern und versuchte, mit ihrem Duft den Gestank des Todes aus ihrer Erinnerung zu vertreiben. »Woher weißt du denn schon von der Leiche?«

»Die Leiche am Strand ist Tagesthema in Conil, allerdings nicht, dass du sie gefunden hast. Das habe ich woanders gelesen.«

Klara fragte nicht weiter nach Janes Quelle. Sie war vermutlich einer der bestinformierten Menschen in Andalusien. In ihrer Suite in einem Strandhotel liefen rund um die Uhr zahlreiche Computer, mit denen sie sich auf der Suche nach Informationen in fast jedes Netz hacken konnte und auf mysteriöse Weise sehr viel Geld verdiente.

»Wie geht's dir denn nach dem Leichenfund?«

»Na ja. Viel beunruhigender finde ich, dass ich vielleicht den Mörder gesehen habe.«

»Was?«

Klara winkte ab. »So spektakulär ist das auch wieder nicht. Es war in der Nacht vor dem Mord am Strand und viel zu dunkel. Ich konnte nur eine undefinierbare Gestalt am Wasser erkennen, die in Richtung Tatort gegangen ist und etwa auf Höhe der Surfstation eventuell einen Hund abgestochen hat. Vielleicht habe ich mir das auch nur eingebildet, wahrscheinlich sogar. Jan hat jedenfalls gesagt, dass am Morgen dort kein toter Hund gelegen hätte.« Klara trank einen Schluck Kaffee. »Aber seitdem ich die Leiche gesehen habe, bekomme ich den Gedanken nicht aus dem Kopf, dass irgendetwas komisch daran war, so als hätte ich das Ganze vorher schon einmal gesehen.«

»In dem Punkt kann ich dir vielleicht weiterhelfen.« Jane steckte sich eine Zigarette an und inhalierte tief. »Kann das mit der Körperhaltung des Toten zu tun haben? Auf dem Foto vom Tatort hat mich die Position der Leiche spontan an eine von Camilas Skulpturen erinnert. Ich habe dann ihr letztes Ausstellungsplakat rausgesucht, auf dem die Figur abgebildet ist, die ich meine. Die Ähnlichkeit ist verblüffend. Guck dir mal den *Sterndeuter* an! Der steht zwar, ist aber ansonsten fast identisch mit der Leiche.« Jane reichte Klara zwei Computerausdrucke. Der erste zeigte die Leiche am Strand und sah aus wie ein Polizeifoto, der zweite war ein verkleinertes Plakat einer früheren Ausstellung von Camila, auf dem die Betonskulptur eines männlichen Körpers zu sehen war.

Klara hielt die beiden Blätter nebeneinander. »Stimmt, das ist es!« Sie biss sich auf die Unterlippe. »Aber das muss Camila doch auch aufgefallen sein. Ich habe ihr gestern sogar noch die Stellung aufgezeichnet. Außerdem kannten wir den Toten gewissermaßen.« Sie erzählte Jane von dem Erlebnis am Strand. »Ein bisschen viele Zufälle, findest du nicht?« Klara faltete die Blätter zusammen, legte sie auf den Tisch und beschwerte sie mit ihrer Kaffeetasse.

»Mir sind Zufälle sowieso suspekt.« Jane zog einen silbernen Reiseascher aus der Tasche und drückte ihre Zigarette aus. »Was für einen Eindruck macht Camila eigentlich auf dich?«, fragte sie leise und schaute Klara an.

»Ich weiß nicht. Ihr Verhalten gestern am Strand war schon eigenartig, aber ich bin ja gerade erst angekommen und hatte noch gar keine Gelegenheit, in Ruhe mit ihr zu reden.«

»Ich hoffe, dir gelingt es, mir seit Wochen nämlich nicht mehr. In der letzten Zeit finde ich sie äußerst merkwürdig und mache mir langsam Sorgen um sie. Ich glaube, es geht ihr nicht besonders gut. Nun ja, vielleicht erzählt sie dir ja, was los ist. Wie läuft's denn bei Jan und dir? Ich würde gern eure Surfschule sehen. Wie weit seid ihr? Ich bin öfter daran vorbeigegangen, aber meist waren die Läden zu.«

»Ehrlich gesagt, war ich selbst auch noch nicht da. Aber Jan sagt, dass wir nächste Woche eröffnen können. Er hatte bis jetzt zu viel zu tun und will mir heute Nachmittag alles zeigen.«

Jane hob die schmalen Augenbrauen. »Oh, sehe ich da auch bei dir neue Züge? Du sitzt zu Hause und wartest, bis dein Liebster kommt und dir zeigt, was er geschafft hat? Ich dachte, die Surfschule wäre euer Gemeinschaftsprojekt.«

Klara lachte, aber sie hörte selbst, dass es gezwungen klang. »Du hast dich nun wirklich nicht verändert, was? Immer taktlos und den Finger auf dem wunden Punkt.«

»Aber genau dafür liebst du mich doch! Und ist das denn ein wunder Punkt?«

Klara erwiderte unwillkürlich Janes offenes Lächeln, das ihr von unzähligen Falten und Fältchen übersätes Gesicht leuchten ließ. »Hey, ich bin die Analytikerin! Ich weiß nicht genau, was los ist. Ich will schon seit gestern mitarbeiten, aber es passt irgendwie nicht. Vielleicht sollten wir einfach hinfahren und Jan überraschen. Falls er da ist. Mir fällt grad auf, dass ich noch gar keinen Schlüssel habe.« Klara freute sich, dass sich ein Anlass bot, etwas zu tun. Sie musste handeln, nur so konnte sie die Unruhe besänftigen, mit der sie sich seit zwei Tagen herumquälte.

Jane grinste und stand auf. »Nun denn! Vielleicht haben wir ja Glück und der Meister ist da, lässt uns rein und zeigt uns alles.«

* * *

Das Radio in Janes Landrover dudelte spanische Folklore, als sie durch Conil fuhren. Ladenbesitzer zogen die Markisen über ihren Fenstern heraus und gossen eimerweise Wasser auf den glühenden Asphalt, um den Staub zu binden. Vor dem Fischgeschäft am Marktplatz standen schwarz gekleidete spanische Frauen wie ein Schwarm Raben und begutachteten die silbern schimmernden Leiber auf dem zerstoßenen Eis. Der Paseo del Atlántico war noch leer, nur einige Wagen, die Ware für die Restaurants anlieferten, standen mit laufendem Motor auf der Strandpromenade und tränkten die unbewegte Luft mit ihrem Dieselgeruch. Ein Urlauber war mit Sonnenschirm, Kühltasche und Luftmatratze auf dem Weg zum Wasser.

Jane fuhr bis ans Ende der Promenade, die in einen Feldweg hinter den Dünen mündete. Nach einem Kilometer ging der Weg in einen steinigen Pfad über, der durch sonnengebleichtes Gelände führte, das spärlich mit windzerzausten Kiefern, Feigenkakteen und Agaven bewachsen war. Als sie den Parkplatz hinter der Surfstation erreichten, waren Tür und Läden wieder geschlossen, doch Jans Auto war da.

Klara kletterte aus dem Landrover und ging um die

Hütte herum zum Eingang. Sie drückte die Klinke nieder, die heiß von der Sonne war. Die Tür war nicht verschlossen. Sie schob sie langsam auf und schaute in den dämmerigen Raum. Die rechte Wand nahmen Regale voller Surfboards, Segel und sonstigem Zubehör ein. Links stand ein Kleiderständer mit bunten Neoprenanzügen. Daneben war ein breiter Durchgang, der zum benachbarten Raum führte, in dem sie die Bar einrichten wollten. Über der Türöffnung hing ein altes türkisfarbenes Surfbrett voller Kerben an der Wand, Jans erstes Board, das ihn schon nach Hawaii, Südafrika und Australien begleitet hatte. Das hintere Drittel des Raums war durch einen hölzernen Tresen abgetrennt, auf dem ein Computermonitor, zwei Kaffeetassen und eine leere Pizzaschachtel standen. Eine weitere Tür führte in einen Hinterraum, der als eine Art Mini-Appartement mit Schlafcouch, Herd und Kühlschrank eingerichtet war.

Unsicher blieb Klara in der Tür stehen. Sie fühlte sich wie ein Eindringling und nicht, als würde sie ihre eigenen Räume betreten. Jane blickte neugierig über ihre Schulter. Aus dem hinteren Zimmer waren undeutlich Stimmen zu hören.

Die Gummisohlen von Klaras Turnschuhen machten kein Geräusch auf dem Holzfußboden, als sie zur Tür des Hinterzimmers ging und sie öffnete. Jans nackter Körper stand mit dem Rücken zu ihr und zeichnete sich als dunkler Scherenschnitt vor dem Fenster ab. Klara brauchte einen Moment, um zu begreifen, dass er eine Frau in den Armen hielt. Mit einer geschmeidigen, entsetzlich vertrauten Geste kniete er sich vor sie. Die Fremde legte den Kopf zurück und stöhnte leise.

Klara ging einen Schritt in den Raum hinein, trat auf etwas Weiches. Auf dem Boden verstreute Kleidung. Die beiden waren zu vertieft, um sie zu bemerken. Sanft legte die Fremde ihre Hände auf Jans Haare. Der Schmerz explodierte gleichzeitig in Klaras Kopf und Bauch und ließ sie in die Knie sinken. Sie wollte weg, nicht mehr sehen, nicht mehr riechen, aber sie fühlte sich wie gelähmt. Die Frau öffnete die Augen, erblickte Klara und schrie auf. Jane trat in den Raum, erfasste mit einem Blick die Situation und zog Klara auf die Füße.

»Klara …« Jan war aufgestanden, schob die Frau, die sich an ihn drängte, achtlos zur Seite und ging einen Schritt auf sie zu. »Klara …«

Rückwärts wich sie vor ihm zurück, bis sie an die Tür stieß, dann drehte sie sich um und rannte los. Sie rannte, bis die Sonne über ihr am Himmel stand. Körper und Haare waren nass, als wäre sie gerade aus dem Meer gekommen. Sie ließ sich keuchend mit ausgebreiteten Armen fallen und grub die Hände in den Sand. Presste sie um Muschelschalen, bis sie splitterten, um die Erinnerung an Jans Haut unter ihren Fingern auszulöschen, starrte in den gleißend blauen Himmel, bis ihre Augen tränten, um den Anblick seines Lächelns zu löschen, schrie, bis sie heiser war, um seine Stimme aus ihrem Kopf zu vertreiben.

* * *

Im Schatten der Felsen lief Klara nach Hause. Nur zwei Nächte war es ihr gemeinsames Heim gewesen, aber sie wusste nicht, wie sie Jan dort jemals nicht vermissen sollte. Langsam ging sie durch die Räume, sammelte ein, was ihm gehörte, Zahnbürste, Shampoo, Bücher, Bettzeug, und stopfte es in Müllsäcke. Nach und nach schleppte sie seine Habe in die Nähe der Klippen, suchte eine felsige Stelle, entfernt von Bäumen und Sträuchern, und schichtete alles sorgfältig auf. Aus der Küche holte sie eine Flasche Brennspiritus. Sie leerte den Inhalt über den Scheiterhaufen, der bis an ihr Kinn reichte und verteilte zwei Päckchen Grillanzünder. Beim fünften Versuch entzündete sie mit zitternden Fingern das Feuerzeug und hielt es an die kleinen weißen Würfel. Gierig griffen die Flammen zu. Über dem Feuer kräuselte sich eine graue Rauchsäule wie ein Signal senkrecht in den blauen Himmel.

Durch Flammen und Rauch erkannte sie Jan. Er rannte durch den Garten, blieb auf der anderen Seite des Scheiterhaufens stehen und machte keinen Versuch, etwas zu retten. Durch den Rauchschleier sahen sie sich an, bis Klara ihm den Rücken zukehrte und aufs Meer schaute, das träge wie Öl in der einsetzenden Abenddämmerung schwappte. Als sie sich wieder umdrehte, war er fort.

Camila und Sammy stürmten durch die Büsche. »Was ist denn hier los?«

Klara starrte schweigend ins Feuer.

Zischend stieg eine Flamme aus einem Surfboard auf, die Luft roch plötzlich nach verschmortem Kunststoff.

Camila musterte den brennenden Haufen. »Hast du dich mit Jan gestritten?«

»Es ist vorbei.«

* * *

Klara saß in ihrer Wohnung in Dortmund auf dem Bett und war verzweifelt. Aus dem Wohnzimmer hörte sie Lachen, Gläserklingen und Musik. Sie versuchte sich zu erinnern, warum sie so unglücklich war. Jan. Sie hatten sich gestritten. Er war wütend gegangen, für immer. Klara hörte ihr eigenes Weinen, das wie ein Echo aus den Ecken des Zimmers zurückgeworfen wurde. In der Küche krachte und klirrte es, als wäre die Vitrine mit den Gläsern umgefallen. Ihre Gäste schienen sich zu amüsieren. Klara erhob sich und mischte sich unter die Menge. Niemand beachtete sie. Selbst Renate war da, die vor drei Jahren bei einem Reitunfall verunglückt war. Alle sahen erschreckend alt aus, zerfielen von Minute zu Minute. Klara holte ihre Kleider aus dem Schrank und verhängte mit abgewandtem Gesicht die Spiegel. An der Wohnungstür klingelte es, dann drehte sich knirschend ein Schlüssel im Schloss. Schon bevor sie den riesigen Strauß sah, der durch den Türspalt geschoben wurde, füllte sich der Flur mit dem Geruch von Lavendel. Jan öffnete die Tür und breitete die Arme aus. Alles war gut. Sie erwachte mit dem Duft der Blumen in der Nase.

Klara setzte sich benommen auf. Sie spürte noch die unendliche Erleichterung, als sich der Schmerz in Glück verwandelt hatte. In dem Moment, als Jan sie in die Arme genommen hatte. Mit geschlossenen Augen ließ sie sich auf das Kissen sinken, um zurück in den Traum zu fallen.

Doch im Hinterkopf lauerte die Wahrheit und bohrte sich an die Oberfläche ihres Bewusstseins, auch wenn sie versuchte, sie noch ein paar Sekunden wegzusperren. Sie zog das Kissen hinter ihrem Kopf hervor, presste es auf ihr Gesicht und fing an zu schreien, bis ihr Kopf wehtat.

Das Rauschen des Meeres holte Klara zurück. Eine Weile lag sie ruhig auf dem Bett und lauschte der gleichförmigen Brandung. Der Wind musste aufgefrischt haben. Noch immer war das Zimmer vom Duft des Lavendels erfüllt, der in den Kübeln vor der offenen Gartentür die Köpfe hängen ließ. Klara stand auf und ging auf die Terrasse, stellte sich in den warmen Wind und blickte auf das schwarze Meer, das dreißig Meter unter ihr leise auf den Strand brandete. Der Mond hing als bleiche Scheibe über dem Wasser. Weit draußen waren ein paar Lichtpunkte zu sehen, Fischerboote, die so langsam dahintrieben, dass es den Eindruck machte, als würden sie sich nicht bewegen.

Klara schloss die Augen. Vergeblich versuchte sie sich den nächsten Tag vorzustellen. Bilder von Jan, ihren gemeinsamen Plänen schoben sich immer wieder dazwischen. Sie erinnerte sich an seine erste Berührung, seinen Geruch, als er sie auf seine Arme gehoben und zum Auto getragen hatte. Was sollte sie jetzt mit einer Surfschule anfangen? Was sollte sie mit ihrem ganzen Leben anfangen? Klara setzte sich in einen Korbstuhl auf der Terrasse und wartete auf das erste Licht am Horizont.

* * *

In der Morgensonne hatte das Meer die gleiche rauchblaue Farbe wie der Himmel. Ein leichter Wind kräuselte die Wasseroberfläche, und an einigen Stellen zeichneten sich Strömungen wie Flussläufe glatt auf dem Wasser ab. Klara zog ihre Turnschuhe an, kletterte über die Treppe an den Strand hinunter und machte ihre Dehnübungen. Gestern hatte sie bei dem langen Lauf in der Mittagssonne nicht nur ihr Gesicht verbrannt, sondern auch ihre Muskeln überstrapaziert. Es herrschte Ebbe, aber der nasse Sand war nicht richtig hart. Quietschend gab er unter ihren Füßen nach. Nach den ersten vier Kilometern flauten Schmerz und Steifheit in ihren Beinen ab, nach zwei weiteren Kilometern glühten ihre Wadenmuskeln, die Lunge stach, und Klara kehrte um. Die unruhige Nacht hatte sie geschwächt, die Kehle brannte, das Blut rauschte in ihren Ohren. Keuchend erreichte sie ihr Haus, zu erschöpft, um Jan zu vermissen.

Nachdem sie geduscht und Shorts und ein altes T-Shirt

angezogen hatte, ging sie zu Camila und Gil. In der Einfahrt parkte ein Polizeiwagen. Hinter dem Haus hörte sie Sànchez' dröhnendes Lachen. Als sie die Terrasse betrat, verstummte das Gespräch abrupt und alle blickten sie besorgt an. Sie vermutete, dass Camila schon von dem Scheiterhaufen erzählt hatte, und war froh, dass der Sonnenbrand sie frischer aussehen ließ, als sie sich fühlte.

Auf dem Gartentisch standen die Reste vom Frühstück. Sànchez hatte seine Uniformjacke aufgeknöpft und saß mit aufgestützten Ellenbogen am Tisch.

»Morgen. Ist der Kaffee noch warm?« Ihre Stimme klang eine Spur zu munter. Ohne eine Antwort abzuwarten, goss sie Kaffee in eine Tasse, gab Milch dazu und setzte sich. »Wissen Sie schon, wer den Mann ermordet hat? Oder wann?«, fragte sie den Comisario.

»Wann ja. Irgendwann zwischen zwei und vier Uhr nachts. Aber das ist auch schon alles, was wir wissen«, sagte er, zog ein Taschentuch aus der Jacke und wischte sich Gesicht und Hals ab. »Der Mann hatte eine Freundin, aber die wusste nichts von seinem, nun, sagen wir mal, entblößenden Hobby. Wir gehen davon aus, dass er das nicht zum ersten Mal gemacht hat. Er hat noch bei seiner Mutter gewohnt. Am Abend des Mordes ist er gegen zehn von seiner Freundin weggegangen und hat sich noch mit ein paar Freunden getroffen. Die sagen übereinstimmend aus, sie wären bis ein Uhr gemeinsam in der *Habana Bar* gewesen, dann wollte er wie alle anderen auch nach Hause. Das war's. Danach hat ihn niemand mehr gesehen. Keiner kann sich vorstellen, was er um die Uhrzeit am Strand wollte.« Sànchez beäugte den Schinken, schüttelte dann bedauernd den Kopf und stand auf. »Ich muss weiter. Vielen Dank für den Kaffee.«

Klara wartete, bis sie hörte, wie er den Wagen startete.

Dann wandte sie sich an Camila. »Ist dir eigentlich aufgefallen, dass der Tote wie der *Sterndeuter* arrangiert war?« Sie forschte in Camilas Gesicht. Hinter der Sonnenbrille waren ihre Augen nicht zu erkennen.

»Ja.«

»Hast du irgendeine Idee, wieso?«

»Was soll denn diese Frage? Woher sollte ich? Ich weiß genauso wenig wie du. Weniger sogar. Ich habe ihn ja schließlich nicht gefunden.« Camila stand abrupt auf. »Mir reicht's mit dem Thema, ich gehe arbeiten.« Klirrend stellte sie die Teller aufeinander und trug sie ins Haus.

Gil und Klara sahen ihr nach und schwiegen einen Moment, bis die Stille drückend wurde.

Mit einem Räuspern wandte Gil sich ihr zu und versuchte zu lächeln. »Camila hat erzählt, dass du und Jan euch getrennt habt. Falls das stimmt – und auch, wenn's nicht stimmt: Hast du Lust, mit mir zusammen im nächsten Monat ein Seminar abzuhalten, Systemische Paar- und Familientherapie?«

»Lieb, dass du mir helfen willst, aber ich muss mich um die Surfschule kümmern und vor allem die Bar einrichten. Zumindest die kann ich ja auch allein betreiben«, antwortete Klara leise.

»Klara, das ist keine Mitleidsgeste. Ich wäre wirklich froh, wenn du mit einsteigen würdest. Ich überlege schon länger, tageweise einen Assistenten in die Praxis zu nehmen. Ich bin zu wenig zu Hause«, sagte Gil. Er zögerte. »Außerdem denke ich schon die ganze Zeit, dass es eine ungeheure Verschwendung wäre, wenn du nicht mehr praktizieren würdest. Nur hätte ich das unter anderen Voraussetzungen nicht angesprochen. Meine Praxis ist zwar nicht das, was du gewohnt bist, aber es sind immer wieder interessante Fälle dabei. Überleg es dir einfach!«

Klara stützte den Kopf in die Hände und seufzte. »Im Moment weiß ich überhaupt noch nicht, was werden soll. Wir wollten doch von der Surfschule leben. Aber ich kann ja nicht mal surfen. Und ich habe keine Ahnung, was Jan investiert hat, wie hoch ich verschuldet bin.«

»Vielleicht solltest du zu einem Anwalt gehen und dich beraten lassen. Möglicherweise ist ja noch etwas zu retten.« Gil zog sein Portemonnaie aus der Hosentasche, nahm einen Stapel Visitenkarten heraus und blätterte sie durch. »Hier. Doctor Martínez.« Er reichte ihr eine schmale zartgraue Karte mit schwarzer Schrift. »Der ist wirklich gut. Der hat für uns sämtliche Angelegenheiten mit der Finca geregelt.«

Klara schaute zum Haus. Die Vorhänge waren vorgezogen und wehrten neugierige Blicke ab, auf einem Dachfenster spiegelte sich die Sonne. »Ist bei euch eigentlich alles in Ordnung?«

Gil zerlegte die Scheibe Käse auf seinem Teller in exakte Quadrate. »Nein. Absolut nicht. Aber frag mich nicht, was los ist. Ich weiß es nicht. Camila redet nicht mehr mit mir, zieht sich zurück, wird nachts wach und macht stundenlange Spaziergänge am Strand. Keine Ahnung, warum. Sie sagt nur, es hat nichts mit mir zu tun.«

»Camila geht nachts an den Strand?«

Gil schob die Käsewürfel auf einen Haufen und nickte.

»War sie auch vorletzte Nacht unterwegs?«

»Was soll die Frage? Du willst sie doch nicht ernsthaft mit dem Mord in Verbindung bringen?«

»Um Himmels willen, das habe ich nicht gemeint. Ich dachte nur, sie hätte vielleicht was gesehen.« Klara fragte sich, was sie wirklich gemeint hatte.

»Das hätte sie dann mit Sicherheit Sànchez erzählt.«

»Sicher, genau wie die Ähnlichkeit der Leiche mit ihrer

Skulptur und dass sie den Mann am Tag vorher fast erschlagen hätte.« Klara strich ihr Haar mit beiden Händen zurück. »Ich werde noch mal versuchen, mit ihr zu reden.«

Als Klara langsam die Treppe hinaufstieg, schoss ihr der Gedanke durch den Kopf, dass Camila ihren Besuch im Atelier möglicherweise als Belästigung empfinden würde. Sie wusste zurzeit überhaupt nicht, woran sie bei Camila war. Die jahrelange Vertrautheit schien völlig verschwunden.

Die Tür zum Atelier stand offen. Klara zögerte. Camila hockte auf dem Boden, der mit graubraunem Betonstaub überpudert war. Die großen Dachfenster waren weit geöffnet, und im Süden war über den unbewegten Wipfeln der Pinien das Meer zu sehen. Doch Camila starrte in den deckenhohen Spiegel vor ihr. Sie nahm einen tiefen Schluck aus ihrem Glas, ließ die Eiswürfel klirren und betrachtete die Schlieren, die langsam innen am Glas hinabliefen. Im blendenden Licht tanzten Staubpartikel. Trotz der Sonne, die den Raum aufheizte wie einen Backofen, schauderte Camila und schlang die Arme um sich, als würde sie frieren. An den Wänden waren in Regalen ihre Skulpturen aufgereiht. Sie schaute durch den Raum. Ihr Blick blieb am *Sterndeuter* hängen. Klara wusste, dass sie ihn immer besonders gern gemocht hatte. Camila stand auf, stellte die Skulptur auf die dicke Arbeitsplatte aus Buchenholz, nahm einen Hammer aus einem Regal und schlug zu, bis nur noch ein Haufen Staub, Scherben und verbogener Draht vor ihr auf dem Tisch lagen. Unbemerkt schlich Klara zurück zur Treppe und verließ das Haus.

* * *

Klaras Übelkeit wuchs mit jedem Schritt. Sie gab sich einen Ruck und betrat die dämmerige Surfstation. Durch die Ritzen in den Fensterläden fiel Sonnenlicht in den Raum und zeichnete schmale Streifen auf Bodenplanken und Holzwände. Nur Jans altes Surfbrett über der Tür fehlte. Sie sah zu der halb offenen Tür zum Hinterraum. Ihr Herz raste. Jan, lachend, die Augenwinkel voller Falten. Nackt in den Armen einer Fremden. Klara wollte schreien, etwas zertrümmern, um die Bilder auszulöschen, die sie belagerten. Kalter Schweiß bedeckte ihren Körper. Sie atmete tief durch, bis sie ruhiger wurde, und schaltete den Computer an. Auf dem Monitor erschienen zahlreiche Icons mit kryptischen Dateinamen. Irgendwo in dem Chaos steckten vielleicht Aufzeichnungen über Jans Geschäfte. Im Schrank hatte sie nur einen Aktenordner mit wenigen Rechnungen gefunden.

Die Luft war abgestanden, roch durchdringend nach Neopren, und sie sah Jan in der glänzenden Gummihaut auf dem Surfbrett über das Wasser gleiten. Schlagartig waren ihr sein Geruch, seine Nähe gegenwärtig. Sie schloss die Augen und stütze sich mit einer Hand an der rauen Wand ab. Vor ihren Augen zuckten helle Punkte.

* * *

Seit gestern Mittag hatte sie nichts mehr gegessen, und durch die muffige Luft wurde ihr schwindlig.

Klara stolperte aus dem Raum und lief die zwanzig Meter zum Meer hinunter. Als eine neue Welle der Übelkeit über ihr zusammenschlug, zog sie ihre schweißgetränkte Kleidung bis auf Slip und BH aus und legte sich in die sanfte Brandung, bis sie zu frieren begann. Dann ließ sie sich von der Sonne trocknen, zog Shorts und T-Shirt wieder an und machte sich auf den Weg in die *La Ola Bar*.

Jane saß bereits an ihrem Lieblingstisch im Schatten einer großen Yucca-Palme. In der einen Hand eine Zigarette, in der anderen ein Glas voller Eiswürfel und einer türkisfarbenen Flüssigkeit, blickte sie Klara entgegen.

»Ich dachte mir, dass du irgendwann kommst. Ich habe schon gewählt, aber mit dem Essen auf dich gewartet.« Jane drückte ihre Zigarette aus.

Nur drei der fünfzehn Tische waren besetzt, aber pünktlich zur Mittagszeit näherten sich vom Strand weitere Gäste. Klara bestellte ein paar Tapas und eine Cola light. Hinter dem Tresen polierte der Barkeeper die Gläser und schwenkte seine schmalen Hüften im Takt der Musik. Als die Kellnerin mit ihrer Bestellung zu ihm trat, nahm er ihr das Tablett aus der Hand, zog sie kurz an sich und küsste sie, bevor er die Cola zapfte. Klara wandte sich ab und starrte auf ihre Hände. Sie hatten nie darüber geredet, aber sie hatte sich vorgestellt, Jan irgendwann zu heiraten, sich bereits die Feier ausgemalt, in ihrem Garten, mit allen Freunden und der Familie an einer langen Tafel voller Schüsseln, Karaffen und vielen Kuchen.

»Ist er ganz weg?«, fragte Jane, als hätte sie ihre Gedanken erraten.

»Ja.« Klara lehnte sich zurück, um der Kellnerin Platz zu machen, die mit einem Tablett voller Tonschälchen an ihren Tisch getreten war.

»*Patatas fritas, gambas a la plancha, ensalada de mariscos und calamares fritos.*« Zu jeder Bezeichnung stellte sie eine Schale auf den Tisch, aus der Zahnstocher wie Stacheln aus einem Igelrücken ragten.

Jane spießte ein Stück frittierten Tintenfisch auf, zog es mit den Zähnen ab und kaute genüsslich.

Klara musterte die Tapas unentschlossen. Sie hatte keinen Appetit. »Ich versteh das alles nicht. Wenn er nur wollte, dass ich die Surfschule bezahle, hätte er mir doch viel geschickter was vorspielen können. Und wenn ich nur Mittel zum Zweck war, warum hat er mich dann aus Dortmund abgeholt? Ich habe doch gemerkt, dass er mich geliebt hat. So wie er sich verhalten hat, muss er mich geliebt haben.« Ohne Überzeugung nahm sie ein Kartoffelstück und starrte es an.

»Wenn's um einen Patienten ginge, könntest du dir sämtliche Fragen selbst beantworten.« Jane zog den Teller mit dem Meeresfrüchtesalat zu sich heran und fischte mit einem Holzspieß eine Muschel heraus. »Bestimmt hat er dich geliebt. Vielleicht wollte er beides: dich und seine Freiheit. Es war doch ein großer Teil seiner Faszination, dass er kein Mann ist, der Verantwortung übernimmt, jedenfalls nicht für jemand anderen als sich selbst. Denk mal an Robert Redford in *Jenseits von Afrika*. Der strahlende Held, immer wieder gut für die große Romantik. Der das Leben komplett verzaubert, wenn er mal da ist. Aber leider völlig alltagsuntauglich.« Jane schob Klara die Schale mit den Krabben zu. »Iss was! Du siehst aus, als könntest du ein paar Kalorien gebrauchen.« Jane hatte für sich selbst vor vielen Jahren entschieden, die Bedeutung einer Beziehung auf einen der hinteren Plätze zu verbannen. Sie hatte Freundschaften, Arbeit und ihre unerschöpflichen Interessen und kein Bedürfnis, einen Ehemann vorzeigen zu müssen, um sich aufzuwerten.

Klara schob den Teller wieder weg. Von dem Fischgeruch wurde ihr übel. »Was zum Teufel soll ich denn jetzt mit dieser verfluchten Surfschule machen? Ich würde am liebsten gar nicht mehr in die Nähe gehen.«

»Hast du schon daran gedacht, sie wieder zu verkaufen?« Jane schob sich das letzte Stück Tintenfisch in den Mund. »Nimm wenigstens von jedem Teller noch ein Häppchen. Den Rest esse ich.«

Klara spießte eine Kartoffel und eine Krabbe auf und drehte den Zahnstocher unschlüssig hin und her. »Das wird bestimmt nichts. Die Station stand ein halbes Jahr zum Verkauf, keiner wollte sie. Nur wir. Ich sollte mich wenigstens um die Bar kümmern. Aber mit dem *La Ola* in der Nähe wird das schwer. Trotzdem – morgen werde ich anfangen zu streichen. Allemal besser als herumzusitzen und zu jammern.«

Eine der Jugendlichen am Nachbartisch pöbelte die Bedienung lautstark an. »Wenn du zu dämlich zum Rechnen bist, solltest du nicht kellnern.« Das Gelächter ihrer Freunde belohnte den mageren Rotschopf. Einer der Jungen rülpste zur Freude seiner Kumpel.

»Jetzt gib mir endlich das Wechselgeld.« Das Mädchen streckte die Hand mit langen, orange lackierten Nägeln aus.

Die Kellnerin blieb ruhig. Sie hielt einen Zehn-Euro-Schein hoch. »Den hast du mir gerade gegeben. Ich hatte ihn noch gar nicht ins Portemonnaie gesteckt. Und darauf habe ich dir korrekt rausgegeben.«

»Quatsch! Ich habe dir einen Zwanziger gegeben. Das haben alle hier gesehen.« Die drei Jungs und zwei Mädchen an ihrem Tisch nickten und grölten zustimmend. »Jetzt gib mir endlich mein Geld!«

»Ich habe es dir gegeben.« Sie drehte sich um.

»Bleib gefälligst hier, du Schlampe!«, kreischte die Rothaarige.

Als die Kellnerin sich wieder zu ihr umwandte, holte die Rothaarige aus und ohrfeigte sie klatschend. Auf ihrer Wange zeichneten sich fünf rote Finger ab. Einer der Nägel hatte einen Kratzer in die Haut geritzt, aus dem ein Tropfen Blut sickerte. Die Freunde des mageren Mädchens lachten und applaudierten. Mit einer anmutigen Bewegung griff die Kellnerin nach einem halbvollen Bierglas und schüttete dem Mädchen den Inhalt ins höhnisch verzogene Gesicht. Sofort rannte der Barkeeper durch den Sand zu den beiden Frauen, die sich inzwischen wie zwei Catcherinnen im Sand wälzten. Blitzschnell hatte er die Kellnerin auf die Beine gezogen und stellte sich schützend vor sie. Seine durchtrainierten Einsneunzig hielten die Gruppe davon ab, ihrer offensichtlich unterlegenen Freundin zu Hilfe zu kommen.

»Verschwindet hier, aber ganz schnell!«

»Und wenn nicht?« Die Rothaarige stellte sich auf die Zehenspitzen und drückte das Kreuz durch. Aus ihren Haaren tropfte Bier. Ihre Freunde gingen bereits zügig in Richtung Ausgang. Der Barkeeper hob drohend den Arm, und sie rannte hinter ihnen her.

»Ihr spinnt wohl!« Ein stämmiger Mann, der ein ehemals weißes Tuch um den Kopf gebunden hatte, kam schnaufend aus der Küche. »So könnt ihr nicht mit den Gästen umgehen.«

Der Barkeeper griff nach der Hand seiner Freundin. »Sie hat Sonia geohrfeigt.«

»Trotzdem kann sie keine Gäste angreifen. Wenn sich das herumspricht, traut sich hier doch keiner mehr rein.« Er trug ein ärmelloses Unterhemd und eine kurze Jeans, aus der schwarz behaarte Oberschenkel quollen. Unter den Armen wucherten üppige, nasse Haarbüschel. Klara blickte auf die Reste der Tapas und spürte einen leichten Brechreiz.

»Sie wollte, dass ich ihr auf einen Zwanziger rausgebe, aber sie hat mir nur einen Zehner gegeben.«

»Dann hättest du ihr lieber zehn Euro mehr geben sollen, statt dich mit ihr zu prügeln.«

»Und heute Abend hätte ich es in die Kasse tun müssen.

Das hatten wir doch letztens schon mal.« Das zierliche Gesicht der Kellnerin verzog sich, als würde sie gleich anfangen zu weinen. Jetzt wirkte sie kaum älter als zwölf.

»Wenn's dir hier nicht passt, such dir doch was anderes. Kannste lange suchen, in der Hochsaison, wo die ganzen Studenten Schlange stehen, um ein paar Euro beim Kellnern zu verdienen. Beim nächsten Ärger bist du sowieso raus.« Er grinste und ging zurück in die Küche.

Klara tauschte einen kurzen Blick mit Jane und legte ein paar Münzen auf den Tisch. *Bienvenido en Andalucía!*

* * *

Klara kam sich fast wie eine Voyeurin vor. Es schien ihr zur Gewohnheit zu werden, ihre Freundin zu beobachten. Eigentlich hatte sie durch den Garten zur Haustür gehen wollen, aber Camilas Schluchzen hatte sie angelockt, und nun stand sie hilflos vor der offenen Glastür, die vom Garten in das Schlafzimmer führte. Früher wäre sie zu Camila gelaufen, hätte sie in die Arme genommen, aber jetzt zögerte sie und hoffte auf eine Eingebung.

Camila hatte sich auf dem Teppich vor ihrem Bett zusammengerollt und weinte. Im Haus herrschte absolute Stille, nur neben Klaras Kopf summte eine Wespe. Auf Gils Nachttisch stapelten sich Bücher, über einem Stuhl in der Ecke hing ein blauer Pullover. Die Sonne war bereits ein ganzes Stück über den Horizont gestiegen, doch das Schlafzimmer lag noch im Halbschatten der hohen Pinien.

Schritte näherten sich, und die Tür ging auf. »Um Himmels willen, Camila!« Gil kniete sich neben Camila auf den Boden. Sie rührte sich nicht.

»Ist ja gut«, sagte er sanft zu ihrem gekrümmten Körper, obwohl Tränen in seinen eigenen Augen standen.

Klara blickte sich um, überall lagen trockene Äste und Zweige. Ein geräuschloser Rückzug war unmöglich.

Nach einer Weile hörte Camila auf zu zucken und setzte sich auf. Ohne ihn anzusehen, nahm sie ein Taschentuch aus Gils Hand, wischte ihr Gesicht ab und schnäuzte sich.

»Was ist denn los?«, fragte Gil leise. Sie antwortete nicht und starrte mit leerem Blick vor sich hin. Vorsichtig legte Gil den Arm um ihre Schultern.

Camila zuckte zusammen und rutschte von ihm ab, als hätte er sie geschlagen.

»Verdammt, was ist bloß los?« Gil sprang auf und starrte auf sie hinunter. »Rede mit mir!«

»Ich habe Kopfweh«, sagte Camila leise.

»Das soll alles sein?« Er hockte sich vor sie und sah ihr in die Augen.

Sie nickte.

»Du hast doch nicht seit Monaten Kopfschmerzen. Wir reden nicht mehr miteinander, du kommst erst ins Bett, wenn ich schlafe. Nachts läufst du am Strand entlang. Ich bin dir sogar einmal nachgegangen.« Gil vergrub den Kopf stöhnend in den Händen. »Die Paella mit Klara und Jan war der einzige gemeinsame Abend seit Wochen. Sammy läuft durchs Haus, als wäre irgendwo eine scharfe Bombe versteckt. Und seit Monaten kann ich dich nicht mehr anfassen, ohne dass du zurückweichst. Dein Schweigen vergiftet unsere ganze Familie.«

Camila blickte ihn an, dann legte sie wortlos die Hand an seine Wange und küsste ihn. Sobald er die Arme um sie legte und begann, sie zu streicheln, drückte sie ihn auf den Boden und öffnete den Reißverschluss seiner Hose.

Entsetzt verharrte Klara hinter der Gartentür und versuchte, lautlos zu atmen. Sie hatte den richtigen Zeitpunkt zu gehen endgültig verpasst. Wenn sie jetzt entdeckt würde, wäre es für alle schrecklich peinlich. In ein paar Minuten wären sie vielleicht so beschäftigt, dass sie nicht hören würden, wenn Klara bei ihrem Rückzug ein Geräusch verursachte. Sie schloss die Augen und versuchte sich auf das Summen der Wespe zu konzentrieren.

Gil stöhnte leise. »Komm hoch. Ich will dich küssen«, flüsterte er.

»Bleib einfach liegen, und lass mich machen.«

»Nein«, rief Gil aufgebracht. »Wofür hältst du mich eigentlich? Glaubst du, du kannst mich so ruhig stellen, ohne dass ich dich auch nur berühren darf? Zwei gesunde Hände habe ich selbst.«

Die Tür knallte ein Mal, kurz darauf ein zweites Mal.

Klara öffnete die Augen. Das Zimmer war leer. Zigarettenrauch zog durch die Luft zu ihr herüber. Vermutlich rauchte Gil im Garten. Sie entfernte sich zügig in die andere Richtung.

* * *

Klara übermalte den letzten hellblauen Fleck mit mintgrüner Farbe und stellte den Pinsel in den Topf mit Verdünnung. Dann trat sie ein paar Schritte zurück, um ihre Arbeit zu betrachten. Zusammen mit den cremefarbenen Fensterläden sah die Surfstation jetzt wie ein Pfefferminzbonbon aus. Allerdings hatte Klara keine Idee, wie sie diese hübsche Bretterhütte in eine Bar verwandeln sollte.

Entmutigt ließ sie sich in den Sand fallen und bewegte ihre verkrampften Muskeln. Noch nie war sie bisher bei vollem Einsatz so komplett gescheitert. Allerdings war das hier auch das erste Mal, dass sie sich auf ein Projekt eingelassen hatte, das sie nicht notfalls allein durchführen konnte.

Sie schloss die Augen und versuchte nicht zu weinen. Vielleicht sollte sie das Strandbudenspielen aufgeben und einen neuen Job suchen. Es gab einige Kliniken in Deutschland, die erfreut über ihre Zusage wären. Klara bewegte ihre schmerzenden Schultern. Vielleicht sollte sie wieder zurückgehen. Sie stand auf. Aber erst würde sie aus dieser Hütte eine Bar machen.

Auf den Parkplatz knatterte ein Motorroller. Das Pärchen, das kurz darauf um die Hütte bog, kam ihr vage bekannt vor.

»Hi! Wir haben gehört, dass hier vielleicht eine Surfschule mit Bar aufmachen soll«, begann das Mädchen mit einem breiten Lächeln.

Klara erinnerte sich wieder an die beiden: der Barkeeper und die wehrhafte Kellnerin aus der *La Ola Bar.* »Oh, das war mal geplant. Aber irgendwie ist alles geplatzt, und im Moment habe ich keine Ahnung, wie hier was draus werden soll.« Sie zeigte mit einer ausladenden Bewegung um sich.

»Also, Conil ist ein Dorf. Dass dein Surflehrer weg ist, hat sich schon herumgesprochen. Man hört, er hätte keinen Bock mehr gehabt und wäre mit seiner Freundin nach Tarifa gezogen. Aber falls du weitermachen willst und Leute suchst: Surfen können wir zwar nicht, aber kellnern. Und renovieren.«

* * *

Neben der Hütte kreischte eine Elektrosäge. Luis sägte und zimmerte seit dem frühen Morgen. In den letzten zwei Tagen hatte er vor der Surfschule aus rohen Brettern eine kleine Bar gezimmert und schlug jetzt mit rhythmischen Hammerschlägen die letzten Nägel in die Rückwand. Im

Sand waren Holztische und pastellgrüne Segeltuchstühle unter cremefarbenen Sonnenschirmen gruppiert.

Luis stieg von der Leiter, legte den Hammer auf den Tresen und holte eine Coladose aus dem Kühlschrank hinter der Bar. Er öffnete sie zischend und schlenderte zu Klara. »Jetzt noch streichen, ein Schild malen, dann kann's losgehen. Ich habe schon jede Menge CDs zusammengestellt. Die Boxen kann ich morgen von Pepe abholen.« Er lachte Klara zufrieden an und breitete die Arme aus, als Sonia hinter der Hütte auftauchte.

Sie stellte den Farbtopf in den Sand und schmiegte sich kurz an ihn. »Mit Sammy habe ich abgemacht, dass sie den Entwurf für die Werbezettel auf dem Rechner setzt. Ich gebe ihn dann in die Druckerei. Wenn sie fertig sind, können Luis und ich die Handzettel verteilen.« Sonia nahm Luis die Dose aus der Hand, trank einen Schluck und verzog das Gesicht. »Die ist ja total warm!«

»Ich habe den Kühlschrank an der Bar erst vorhin eingestöpselt. Soll ich dir eine kalte von drinnen holen?« Luis zog Sonia am Träger ihres Overalls zu sich, und sie berührte seine Wange.

»Nee, ist okay, Schatz.«

Klara wandte sich ab und heftete ihren Blick auf ein altmodisches Segelschiff, das vor der Küste Anker geworfen hatte und gerade ein kleines Boot zu Wasser ließ. Ein Schwarm Möwen segelte kreischend über dem Schiff. Immer wieder stießen einzelne Vögel zum Deck hinunter. Klara blinzelte ihre Tränen weg. Jede Geste des verliebten Pärchens erinnerte sie an Jan. Luis besaß dieselbe Mischung aus Sanftheit, Sinnlichkeit und körperlicher Kraft, von der sie nie hatte sagen können, ob Jan sich ihrer bewusst gewesen war. Sie schloss die Augen und sah ihn vor sich. War er wirklich in Tarifa? Hätten sie vielleicht doch noch eine Chance gehabt?

»Klara?« Besorgt musterte Sonia sie. »Ich hatte nur gedacht, das wäre eine gute Idee mit den Handzetteln. Ich wollte nicht …«

»Nein, nein, das ist wunderbar! Genau das, was wir brauchen. Tut mir leid, ich war nur kurz in Gedanken. Ohne euch würde ich das alles gar nicht schaffen.«

Luis grinste und zuckte die Schultern. »Na ja, keine Gäste, kein Job.«

Klara schaute auf die Uhr. »Ich muss los. Ich habe noch einen Anwaltstermin. Wir sehen uns morgen.«

Auf dem Parkplatz hinter der Hütte stand Camilas Mini neben Klaras dunkelgrünem Seat in der prallen Sonne. Sie saß bei geöffneter Tür hinter dem Steuer und hatte den Kopf auf das Lenkrad gelegt. Wie immer in den letzten Tagen trug sie einen kurzen Rock und hochhackige Schuhe. Sie wirkte so traurig und einsam, dass Klara sich fast wunderte, dass das Rot ihres knappen Trägershirts nicht verblasste. Plötzlich setzte sie sich auf, knallte die Autotür zu und startete den Wagen.

»Camila!« Klara rannte auf den Mini zu, der langsam zurücksetzte. »Warte!«

Mit einem ungesunden Krächzen verstummte der Motor wieder und Camila stieg langsam aus.

»Warum wolltest du wieder fahren?« Klara umarmte Camila flüchtig.

»Ich hatte etwas vergessen. Aber ich habe dir ein Geschenk mitgebracht.« Camila beugte sich ins Auto, hob vorsichtig ein offensichtlich schweres Paket vom Rücksitz und drückte es Klara in die Arme. Es war etwa einen Meter lang, schmal und in ein weißes Tuch gewickelt. »Das ist für dich. Habe ich in den letzten Tagen gemacht.«

Klara strahlte und löste vorsichtig das Tuch. Drei überdimensionale Rosenblüten aus fast weißem Beton wurden von üppigen Ranken aus dunkelbraunem Beton umschlungen. »Das ist wunderschön.«

»Findest du? Ich dachte, es passt zu dir.«

»Komm mit nach hinten, wir suchen den besten Platz dafür. Ich muss gleich zum Anwalt, aber Zeit für einen Kaffee habe ich noch. Das heißt, mir fällt gerade ein, dass ich die Kaffeemaschine noch kaufen muss. Aber ich glaube, alles andere haben wir da.«

Während sie sich den feuchten Nacken abwischte, musterte Camila neugierig die Strandbar. Luis und Sonia waren auf eine schattige Insel unter einem Sonnenschirm geflüchtet und schrieben in ein Notizheft.

»Was möchtest du trinken?«

»Hast du Weißwein?«

»Massenhaft.« Klara holte den Wein aus dem Kühlschrank, für sich eine Dose Cola und setzte sich zu Camila.

»Es ist toll geworden.« Camila streifte die Sandalen ab und legte die Beine auf einen Stuhl.

»Ja. Aber der Laden muss wie eine Bombe einschlagen, sonst bin ich in einem halben Jahr bankrott«, antwortete Klara und grinste schief.

»Ich habe allein schon zwanzig Leute zusammen, die zur Einweihung kommen und versprochen haben, wenn's ihnen gefällt, gehen sie hierher statt ins La Ola.«

Klara schämte sich, weil sie Camila Desinteresse unterstellt hatte, vermisste aber trotzdem die alte Vertrautheit und suchte nach einem Gesprächsthema. »Klappt die Arbeit besser? Ich meine, die Pflanze für mich ist wirklich toll geworden.«

»Die habe ich nur für dich gemacht. Ich dachte, ich gestalte mal was Undramatisches für die Bar. Aber ansonsten stagniert es.« Camila spielte mit den Tropfen, die an ihrem Glas perlten.

»Das tut mir leid. Hattest du früher schon mal längere Phasen, in denen du nicht arbeiten konntest?«

»Ich bin nicht in der Stimmung, mich analysieren zu lassen.« Camilas Stimme war so kalt wie der Weißwein.

»Mein Gott, Camila, was soll das? Jedes Thema ist tabu. Nach Jan und mir fragst du erst gar nicht. Über die Leiche am Strand sprichst du nicht. Ich weiß nicht mehr, worüber ich überhaupt noch mit dir reden soll.«

»Dann ist es wohl besser, wenn ich jetzt gehe.« Camila stand auf.

»So habe ich das nicht gemeint. Ich weiß nur nicht, was ich tun kann, damit wir wieder einfach miteinander reden.«

»Manche Dinge ändern sich«, entgegnete Camila kühl.

Klara starrte sie fassungslos an. »Das meinst du nicht im Ernst.«

Camila seufzte, legte ihre Hand auf Klaras Schulter und starrte auf einen Punkt hinter ihrem Kopf. »Nein. Das meine ich wirklich nicht so. Entschuldige. Ich bin froh, dass du da bist. Aber ich … Gib mir ein bisschen Zeit, Klara, bitte«, sagte sie leise.

»Was bleibt?« Klara sah auf ihre Uhr und zuckte zusammen. »Oh, der Anwalt! In einer Stunde ist der Termin, und ich muss bis nach Cádiz. Umziehen kann ich jetzt vergessen.« Sie blickte an sich hinunter. Die abgeschnittenen, ausgefransten Jeans waren ebenso wie das durchgeschwitzte T-Shirt voller Farb- und Ölflecken. An den Spitzen der ausgetretenen Laufschuhe löste sich die Sohle.

Camila zog einen Kamm und Make-up aus ihrer Handtasche. »Los, wasch dir das Gesicht und kämm dich. Eine gute Frisur und ein bisschen Farbe im Gesicht, und schon sieht das stylish aus.«

* * *

Mit einem sonoren Summen öffnete sich die schwere, gläserne Eingangstür. Der Empfangsraum war streng in Graublau und Weiß gehalten. In einer Wolke aus Parfum saß eine grazile Frau in einem engen, anthrazitfarbenen Kleid an einem Schreibtisch aus Stahl und Glas und musterte Klara wie einen fetten Kakerlaken.

»Sie wünschen?« Ihre perlende Stimme deutete an, dass es sich nur um ein Missverständnis handeln konnte.

»Klara Keitz. Ich habe einen Termin bei Doctor Martínez.«

Der Schweiß auf Klaras Haut verdunstete im Luftzug der Klimaanlage. Nach einem weiteren Blick voller Missbilligung drückte die blonde Frau eine Taste auf einem weißen Kasten, erhob sich und stöckelte wie ein Flamingo zu einer der rauchblauen Glastüren. Klara folgte ihr.

Doctor Martínez' Büro war ein krasser Gegensatz zum Rest der Kanzlei. Auf dem Parkettboden lagen leuchtende Seidenteppiche. Die Wände hatten das gleiche Dunkelgrün wie die lederne Sitzgruppe, auf die das Sonnenlicht helle Streifen zeichnete. Vor der Fensterfront, eingerahmt von schweren cremeweißen Samtvorhängen, stand ein antiker Schreibtisch, auf dem ein schlankes schwarzes Notebook summte.

Martínez kam Klara mit ausgestreckter Hand entgegen und ließ mit unbewegtem Gesicht den Blick von ihren Augen bis zu den Turnschuhen gleiten. Sie musterte ihn ebenso direkt. Er war um die fünfzig und sah aus wie alle Anwälte, die Klara bisher kennen gelernt hatte: Zu einem schiefergrauen Maßanzug trug er ein weißes Hemd und schwarze, auf Hochglanz polierte Lederschuhe. Das grau melierte Haar war zurückgekämmt.

»Darf ich Ihnen einen Kaffee anbieten?«

»Gern.«

»Milch oder Zucker?«

»Milch bitte.«

Während Klara die Mappe mit ihren Unterlagen aus der Tasche holte, goss Martínez den Kaffee in zierliche Tassen. Dann blickte er sie fragend an.

»Ich brauche eine Konzession für eine Strandbar. Ich habe vor einigen Wochen eine Surfschule gekauft, möchte jetzt aber stattdessen eine Bar eröffnen. Ich habe bereits eine eingeschränkte Konzession, die aber nur in Verbindung mit der Surfstation gültig ist. Außerdem möchte ich Sie bitten zu prüfen, ob ich das komplette Material wie Boards, Segel und Anzüge irgendwie umtauschen kann. Die Firma weigert sich, die Sachen zurückzunehmen.«

Doctor Martínez lehnte sich zurück. »Verstehe ich Sie richtig? Sie haben eine Surfschule gekauft und vollständig eingerichtet, haben es sich dann kurzfristig anders überlegt und möchten jetzt lieber eine Strandbar eröffnen und alles wieder umtauschen?« Er setzte seine randlose Brille ab und sah sie an.

Klara nickte zögernd. Aus seinem Mund hörte sich das Ganze absolut schwachsinnig an. »Ich bin erst vor einer Woche aus Deutschland gekommen. Mein Freund hatte die Surfschule eingerichtet, aber er … Wir haben uns getrennt, und ich kann nicht surfen.«

»Wem gehört denn die Surfschule?« Martínez griff nach den Papieren und blätterte sie durch.

Klara zögerte. »Bezahlt habe ich sie, also, ja, sie gehört mir.«

Ohne aufzuschauen hob Martínez die linke Braue. »Wenn die Firma sich weigert, ist ein kompletter Umtausch des Materials nicht möglich. Haben Sie noch andere Einnahmequellen, eine Anstellung oder weiteres Vermögen?«

»Leider nicht. Ich habe meine Stelle in Deutschland gekündigt und mein gesamtes Kapital ist verbraucht.«

»Warum verkaufen Sie die Surfschule nicht?«

»Ich denke, das würde schwierig werden. Wir waren seit Monaten die einzigen Interessenten.«

Martínez runzelte die Stirn. »Das kann ich mir kaum vorstellen. Seit der Beschluss durch ist, dass keine neuen Konzessionen an diesem Strandabschnitt vergeben werden, müsste der Pavillon eigentlich Gold wert sein.«

»Sicher, wenn ich alles ohne Verlust wieder loswerden könnte, wäre das vielleicht das Beste. Aber ich weiß noch nicht genau, ob ich wirklich verkaufen will.« Klara ließ unauffällig einen dicken weißen Faden fallen, den sie aus ihrer Jeans gezupft hatte.

Martínez folgte ihrem Blick und starrte den Fussel auf dem dunklen Teppich an. Aus jeder Faser seines faltenlosen Anzugs schien Klara Abneigung entgegenzuschlagen. Mit einer ablehnenden Bewegung schob Martínez die Unterlagen über den Schreibtisch und stand auf. »Ich fürchte, ich kann Ihnen nicht weiterhelfen. Bevor Sie sich an einen Anwalt wenden, sollten Sie sich darüber klar werden, was Sie überhaupt wollen. Guten Tag.« Er blieb hinter seinem Schreibtisch stehen und sah Klara mit unbewegter Miene zu, wie sie die Papiere in ihre Tasche stopfte.

»Sie sind mir empfohlen worden, aber ich kann mir beim besten Willen nicht erklären, warum.« Wütend drehte Klara sich um und rauschte aus der Kanzlei.

Sie zitterte noch vor Wut und von der Kälte der Klimaanlage, als sich auf der schattenlosen Straße die Nachmittagshitze wie Wasserdampf auf ihre Haut legte. Da die Altstadt von Cádiz fast völlig von Mauern umschlossen war, staute sich am alten Stadttor, der Puerta de Tierra, wie üblich der Verkehr. Klara graute bei dem Gedanken an den aufgeheizten Wagen. Dieser arrogante Anwalt hatte sie quasi rausgeworfen. Dabei konnte sie weitere Demütigungen so gut brauchen wie eine Springflut.

Klara ging am Bahnhof vorbei und überquerte die Plaza San Juan de Dios. Sie würde sich einen schattigen Platz am Meer suchen, einen Sundowner trinken und erst nach Sonnenuntergang zurück nach Conil fahren. In den verwinkelten Gassen hatte der Verkehr sich scheinbar unentwirrbar verknäuelt und erfüllte die Luft mit Gehupe und beißenden Abgasen. Klara ging schneller, um zum Wasser zu gelangen.

Im Licht der Nachmittagssonne glühten die roten Dächer und die prunkvollen Häuser, aber die Salzluft des Meeres hatte den abblätternden Fassaden ihre Spuren eingegraben. Klara liebte beide Gesichter von Cádiz – die dekadente Schönheit nahe dem Verfall, eingehüllt vom Dunst des Meeres, und die sonnige, bunte und lebendige Seite, die ihr hier noch ausgeprägter erschien als in anderen Städten Spaniens.

Auf der Avenida Duque de Nájera welkten die Blumen und Palmen, und wie Perlen auf einer Schnur reihten sich die Straßencafés an der Kaimauer aneinander. Sie unterschieden sich nur durch die Farben ihrer Sonnenschirme und ihr Publikum. Die Musik aus den Lautsprechern spielte um die Wette, und das Ergebnis war eine Mischung der Gypsy Kings mit Enrique Iglesias. Avenida und Meer lagen im Licht der untergehenden Sonne, die die Farben dämpfte und wie ein Aquarell erscheinen ließ.

Klara entschied sich wie immer für einen Tisch direkt an der Kaimauer im etwas abseits gelegenen *El Adán*, einem Café mit einheimischen Gästen, dem ältesten und schlichtesten auf dem Platz. Statt sich um modisches Design zu bemühen, standen wacklige Holzstühle unter von Wind und Regen ausgefransten Sonnenschirmen. Es war ein Ort, an dem sie schon oft Ruhe gefunden hatte.

Am Nachbartisch saß eine Gruppe junger Leute. Als Klara sich setzte, holte ein Junge in besticktem Hemd und Schlaghose eine Gitarre aus dem Koffer und spielte ein melancholisches spanisches Lied. Nach einigen Minuten stimmte ein zierliches blondes Mädchen neben ihm mit tiefer Stimme in den Refrain ein. Klara genoss es, unter Menschen zu sein, die sich wohl in ihrer Haut fühlten, ihr fröhliches Lachen und das Klirren der Gläser zu hören. Während sie ein Motorboot betrachtete, das langsam vorbeifuhr, klingelte ein Handy und das Gitarrenspiel brach ab. Die Neohippies am Nachbartisch griffen in ihre Taschen, bis Klara merkte, dass es ihr Telefon war, und das Gespräch annahm. Leise setzte die Musik wieder ein.

»Wie war's beim Anwalt?« Camila nuschelte leicht, als hätte sie zu viel getrunken.

»So ein Ekel! Er hat mich fast rausgeworfen.«

»Oh. Tut mir leid, ich fand ihn ganz nett. Aber ich wollte eigentlich fragen, ob du Lust hast, heute Abend auszugehen.«

»Lieber ein andermal. Ich bin heute nicht in der Stimmung fürs Nachtleben.«

»Ach, komm schon, du brauchst mal ein bisschen Ablenkung. Nur wir zwei. Wie früher.«

Klara zögerte. Ein einsamer Abend in ihrem Haus lockte sie auch nicht. Und vielleicht konnte sie so Camila wieder etwas näher kommen. »Na gut. Aber ich bin erst gegen neun zurück.«

»Perfekt. Ich hol dich gegen halb zehn ab.«

Als Klara sich suchend nach dem Kellner umschaute, sah sie einen weiß gekleideten Mann, der sich mit zwei Gläsern in der Hand lässig durch die Menge schob und auf ihren Tisch zusteuerte.

»Trinkst du einen Gin Tonic mit mir?« Mateo stellte die Gläser vor ihr auf den Tisch. »Oder möchtest du lieber allein der Sonne bei ihrem Untergang zusehen?«

Die Mädchen am Nachbartisch sangen mittlerweile ein Duett. Als Klara nickte, setzte Mateo sich mit dem Rücken zu ihnen und hob ihr sein Glas entgegen. »Trinken wir auf die Bars, die uns zusammenführen.« Er lächelte sie an. »Hast du heute Lust zum Reden?« Mateo drehte sein Glas zwischen den Fingerspitzen und schien den Tanz der Eiswürfel zu beobachten. Über seinen Augen lag ein kaum wahrnehmbarer Schleier. »Wenn nicht, macht es nichts. Es ist auch wunderschön mit dir zu schweigen.«

Klara grinste und versuchte sich an den Titel des Films zu erinnern, in dem Antonio Banderas einen ähnlichen Satz gelispelt hatte. Sie nahm einen großen Schluck von ihrem Longdrink. Er schmeckte scharf und leicht bitter, mit viel Eis und Gin und wenig Tonic, genau so, wie Klara ihn schätzte. Sie konnte sich nicht erinnern, Mateo erzählt zu haben, dass sie dieses Getränk besonders gern mochte. An seiner Seite fühlte sie sich, als würde er sie schon lange kennen, aber dennoch kein bisschen vertraut. »Ich hoffe, unsere Treffen laufen nicht immer so dramatisch ab wie das letzte.«

Mateo zündete eine Zigarette an und betrachtete Klara durch den Rauch, der in der Luft zwischen ihnen waberte. »Wir könnten ja dran arbeiten. Trinken wir ein Glas, und später lade ich dich zum Essen ein. Ich kenne hier ein sehr nettes kleines Lokal direkt am Wasser, garantiert leichenfrei.«

»Hört sich verlockend an, aber heute bin ich mit meiner Freundin verabredet.«

In Mateos Augen flackerte kurz etwas auf, und Klara überlegte, ob sie ihn mit ihrer Ablehnung gekränkt hatte. »Wir können das gern nachholen. Wenn du Lust hast, ruf mich an.« Sie notierte ihre Telefonnummer auf einer Serviette und schob sie über den Tisch. Im selben Moment bereute sie ihre spontane Geste. In seiner Gesellschaft war sie merkwürdig angespannt. Aber vermutlich hatte das Unbehagen nichts mit Mateo zu tun, sondern es würde ihr noch eine Weile bei jedem Mann so gehen, der nicht Jan war.

* * *

Über dem Horizont lag ein dunkelrotes Leuchten, als Camila mit einer Flasche Cava auf Klaras Terrasse trat. »Lass uns ein Gläschen trinken. Auf die alten Zeiten.« Ihre Augen hatten durch geschicktes Make-up oder Freude auf den Abend ihre Teilnahmslosigkeit verloren. Ein knappes weißes Trägerkleid ließ ihre braune Haut schimmern. Sie nahm die Flasche zwischen ihre Knie und entfernte die Folie. Mit einem Knall löste sich der Korken und eine Sektfontäne schoss aus der Flasche. Kichernd wischte Camila die Tropfen von ihren nackten Beinen und schüttelte ihre Hände. »Auf uns!« Sie hob das Glas über ihren Kopf und prostete Klara zu, bevor sie es mit einem Zug leerte.

Klara nippte schweigend an ihrem Sekt, unfähig, übergangslos auf Camilas Fröhlichkeit einzugehen.

»Willst du dich noch umziehen oder so gehen?« Mit zusammengekniffenen Augen musterte Camila Klaras ausgebeulte Jeans und das ärmellose T-Shirt.

»So.« Klara trank einen großen Schluck. Die Kohlensäure dehnte sich in ihrem Mund aus und stülpte ihre Wangen nach außen. Sie schluckte den sauren Schaum, rülpste leise und rührte mit dem Finger in ihrem Glas, bevor sie es leerte. »Eigentlich bin ich gar nicht in der Stimmung auszugehen.«

»Ach was, jetzt lass dich nicht hängen! Mich stört es nicht, wenn du nicht gut gelaunt bist. Es bringt auch nichts, hier zu sitzen und Jan hinterherzutrauern. Es wird Zeit, dass du anfängst, den Scheißkerl zu vergessen.« Sie zog Klara aus ihrem Stuhl. »Schnapp dir deine Tasche und lass uns gehen! Falls du dich nicht amüsierst, fahren wir wieder zurück.« Camila hielt Klaras Hand, als wollte sie verhindern, dass sie ihr auf dem Weg zum Auto doch noch entwischte.

Zwanzig Minuten später stellten sie den Mini auf dem Paseo del Atlántico ab. Blinkende Neonschilder, Lampions, Sound aus schlechten Anlagen und Menschen, die sich in Gruppen durch die Läden schoben, gaben dem Vergnügungsviertel den derben Charme einer Kirmes. Die Straßen waren so belebt wie am Tag, aber es waren andere Menschen unterwegs. Kaum ältere schwarz gekleidete Frauen und alte Männer, die trotz der Hitze ihre flachen Mützen trugen, dafür mehr junge Leute, die die Tage am Strand oder in den Sprachschulen Conils verbrachten. Klara hörte im Vorübergehen Gesprächsfetzen in holprigem Spanisch mit unterschiedlichen Akzenten. Drei deutsche Frauen im Flamenco-Look standen vor der *Casa Manolo,* zeigten auf die Teller der Gäste und zählten stolz die frisch gelernten Namen der Tapas auf.

Aus den überfüllten Restaurants, die die Avenida del Rio säumten, wehte der Duft von Knoblauch und gegrilltem Fisch. Nach zweihundert Metern waren die Bars und Restaurants dezenter beleuchtet und noch gut besucht, aber nicht überfüllt. Einer der beiden Wirte der Tapas-Bar

Los dos Hermanos winkte ihnen und deutete auf einen freien Tisch am Gehweg. Seit fast fünfzig Jahren betrieben die beiden zusammen das Restaurant, ohne ein Wort miteinander zu wechseln. An den Grund für ihren Streit konnte sich schon lange keiner mehr erinnern.

Camila wählte in eigener Tinte gegrillte Sepien, Klara war das Aufflackern ihres Appetits schon wieder vergangen, und sie bestellte lustlos Aioli und Brot.

»Wie geht's Sammy, geht sie noch zu ihrer alten Therapeutin?«

»Ja. – Ich denke, ich nehme noch einen Gin Tonic. Sie mixen hier einen ganz ausgezeichneten.« Camila winkte dem Kellner und bestellte ihren Drink. »Ich mag Klares. Gin, Wodka, Wasser. Schön sauber und frisch.« Sie nahm Besteck aus einem Korb auf dem Tisch und verteilte Messer und Gabeln, als der Kellner die Teller auf den Tisch stellte. »Guck mal, die beiden am Nachbartisch. Bestimmt Amerikaner. Was meinst du?« Sie deutete mit dem Kinn auf zwei Männer, die interessiert zu ihnen herüberschauten und jetzt ihre Gläser hoben und ihnen zuprosteten. Klara drehte demonstrativ den Kopf weg, Camila lachte ihnen zu und blickte ausdauernd in ihre Richtung, bis Klara ihr vors Schienbein trat.

»Hör sofort auf damit! Gleich kommen sie zu uns rüber, und ich habe absolut keine Lust auf angesoffene Jungs, die noch was für die Nacht suchen. Was ist bloß los mit dir?«

»Au! Schon gut.« Camila senkte den Blick auf ihren Teller und zerschnitt den Tintenfisch, als würde er noch zucken.

Klara betrachtete ihre Aioli. Auf der hellgelben Creme hatte sich schon eine glasige Schicht gebildet. Sie schob den Teller zur Seite und brach ein Stück vom Weißbrot ab. Wenn das so weiterging, würde der Abend weder lang noch angenehm werden.

Eine Stunde später standen sie auf der Promenade, eingehakt und in unterschiedliche Richtungen ziehend. Nach zwei Gin Tonics und einem halben Liter Rioja schwankte Camila leicht. Sie gab erst Klaras Druck nach, die zum Auto wollte, griff dann aber mit beiden Händen nach ihrem Arm und zog sie in Richtung Marktplatz. »Komm, nur noch ein Absacker im *Café Cuba!* Es ist wirklich nett dort, ganz neu gemacht und gute Musik.«

»Okay, aber wirklich nur einen.« Seufzend legte Klara den Arm um Camilas Schultern. Ihre Freundin war ihr fremder denn je. Die Verzweiflung unter der fast hysterisch fröhlichen Oberfläche war deutlich zu erkennen, genau wie die Mauer, die sie um sich errichtet hatte.

»Sollen wir nicht lieber zu Hause auf der Terrasse noch ein Glas trinken?«, fragte Klara leise.

»Hey, da sind wir schon.«

Vor der Bar stand ein Pulk gut gekleideter Leute. Camila schob sich durch die Menge nach vorn. Klara verharrte und blickte sich um, aber Camila zog sie weiter.

»Warte mal, ich glaube, da war ein Bekannter.« Flüchtig erfasste Klara schwarze Locken, blitzende Zähne, aber der Mann war schon wieder von der Menge verdeckt. Vielleicht hatte sie sich auch geirrt, schließlich waren schwarze Haare und ein markantes Profil in Andalusien nicht gerade selten. Die Tür ging auf. Umgeben vom Hämmern der Bässe wurde eine Gruppe herausgelassen. Nach einem Augenaufschlag von Camila sah der Türsteher über Klaras nachlässigen Aufzug großzügig hinweg und winkte sie durch. Wummernder Sound hüllte sie ein. Die Luft war so verraucht, dass Klara sich spontan nach der schwülen Hitze auf der Straße sehnte.

Sie blieb stehen und versuchte sich einen Überblick zu verschaffen.

Eine Treppe aus schwarzem Marmor führte in den Club hinunter. Der Raum kam Klara wie eine große Bühne vor. Über die linke Seite zog sich die Bar, in der Mitte drängten sich von Schweiß glänzende Körper und bewegten sich zur Musik. Die meisten hüpften scheinbar mühelos auf und ab. Aus unerfindlichen Gründen streckten alle immer wieder wie auf ein Signal hin die Arme hoch und jauchzten begeistert. An der rechten Seite begrenzten hohe Tische mit Hockern die Tanzfläche.

Klara wunderte sich, dass Camila, die früher überfüllte Discos gemieden hatte, hier vertraut zu sein schien. Sie hatte sich von ihr gelöst und drängte sich, immer wieder jemandem zur Begrüßung winkend, durch die Menge zur Bar. Jede ihrer Bewegungen strahlte kaum gezügelte Sinnlichkeit aus. Dumpf, heftig, für Klara fast unerträglich mit anzusehen. Zentimeterweise schob sie sich durch die dröhnende Musik. Camila unterhielt sich inzwischen am Tresen schon angeregt mit einem muskulösen Mann, der sich regelmäßig ordnend in den Schritt griff. Als Klara neben sie trat, lächelte sie ihr kurz zu, schob ihr einen Martini über den Tresen und wandte sich wieder dem Mann zu, der die Hand unter sein knappes Shirt geschoben hatte und langsam seinen Bauch streichelte.

»Komm, lass uns gehen«, brüllte Klara in Camilas Ohr.

»Ach komm, Klara, noch zehn Minuten!«

Genervt fischte Klara die Olive aus ihrem Martini und überlegte, ob sie ein Taxi nehmen sollte. Ein Mann in schwarzer Leinenhose und weit fallendem Hemd stellte sich neben sie, bestellte eine *cerveza* und musterte sie flüchtig. Nach einigen Minuten blickte er wieder zu ihr und nickte ihr zu. »Señora Keitz.«

»Doctor Martínez.« Klara nickte knapp zurück.

Sie schwiegen wieder und starrten vor sich hin.

Camilas Lachen übertönte die Musik. Sie beugte sich vor und berührte mit den Lippen fast das Ohr des Mannes neben ihr. Ihre Brüste streiften seinen Arm.

»Sie amüsieren sich nicht so gut wie Ihre Freundin.«

»Wie scharfsinnig.«

Ein Grinsen legte sein hageres Gesicht in Falten, dennoch wirkte er ohne Anzug und Krawatte wesentlich jünger. »Ist ja auch ein entsetzlicher Laden.«

»Was machen Sie dann hier?«

Martínez deutete auf eine Gruppe auf der Tanzfläche. »Alle vierzehn Tage gehen mein Sohn und ich zusammen aus. Wir entscheiden abwechselnd, wohin. Heute war er dran. Nächstes Mal werde ich ihn dafür in ein Sinfoniekonzert im *Gran Teatre del Liceu* in Barcelona schleppen.«

Neben ihnen ertönte ein Schrei. »Hey, lass den Scheiß!« Camila lachte nicht mehr. Der Mann mit dem gegelten Haar presste sich an Camila und hatte seine Hand auf ihren Oberschenkel gelegt. Camila schob sie weg, aber er fasste erneut nach ihrem Schenkel, diesmal noch ein Stück höher.

Klara und Martínez schoben sich näher an die beiden heran.

»Spinnst du? Nimm deine verdammten Finger weg!« Camila sprang vom Hocker.

»Stell dich nicht so an!« Grinsend versuchte der Mann nun, seine Hand unter ihren hochgerutschten Rocksaum zu schieben.

Plötzlich griff Camila nach ihrem Cocktailglas und goss dem Mann den Rest des Martinis ins Gesicht. Als er aufschrie und sich die Augen wischte, hob sie ihr Glas, als wollte sie damit zustoßen. Klara griff nach ihrem Arm, das Glas fiel auf den Boden und zersplitterte, aber Camila gelang es, Klara ihre Hand zu entwinden. Sie schlug dem Mann ihre Nägel ins Gesicht und versetzte ihm einen tiefen Kratzer unter dem Auge. Er schrie auf und warf den Kopf zurück. Erneut holte Camila aus, aber Klara hielt sie am Handgelenk fest.

»Verfluchtes Miststück!« Er rieb sich die Augen und verschmierte das Blut in seinem Gesicht.

Der Barkeeper schob dem Mann Servietten und eine Schale voller Eiswürfel über den Tresen und verhielt sich abwartend. Vom Eingang her näherte sich der Türsteher dem Kreis der üblichen Neugierigen, der sich um sie gebildet hatte. Camila bäumte sich noch einmal auf, trat dem Mann vors Bein, und er heulte wieder auf.

»Schnell, lassen Sie uns verschwinden«, rief Martínez und bahnte den Frauen den Weg durch die Menge zum Ausgang.

Wieder hatte Klara den Eindruck, in der Menge ein bekanntes Gesicht zu sehen, doch Camila lehnte mittlerweile bleich an ihrer Schulter und wirkte, als würde sie jeden Moment zusammenbrechen. Klara umfasste sie fester und schob sie zur Tür. Als sie hinaus auf die Straße traten, erschien ihr die belebte Plaza Santa Catalina still wie ein nächtlicher Friedhof, die unbewegte Nachtluft frisch und rein.

»Ich kann Sie nach Hause bringen, mein Wagen steht dort drüben.« Martínez zeigte über den Platz. »Ich muss nur meinem Sohn eine SMS schicken.«

»Gern.« Klara hielt Camila im Arm, die sich mittlerweile nicht mehr wehrte, sondern schlaff neben ihr herschlurfte. Über ihre Wangen liefen Tränen, die sie nicht zu bemerken schien.

»Sind Sie nicht Señora Cabrera Gómez?«

Als Camila nicht reagierte, nickte Klara zustimmend.

»Dann kenne ich Ihr Haus, ich habe damals den Verkauf geregelt.« Martínez zielte mit einem Schlüssel auf einen schwarzen Golf, dessen Lichter mit rotem Blinken antworteten.

»Na wunderbar, dann kennen Sie ja auch den Weg.« Klara schob Camila auf den Rücksitz, rutschte neben sie und wischte ihr mit einem Taschentuch verlaufene Schminke und Tränen aus dem Gesicht. Sie murmelte etwas, das sich für Klara nach »… hab's nicht mehr im Griff« anhörte.

»Was meinst du?«, fragte Klara leise, aber Camila starrte auf ihre Hände und reagierte nicht mehr.

So spät in der Nacht waren nur noch vereinzelt Autos unterwegs. Martínez kurvte zügig durch die Gassen und bog auf die Straße nach El Palmar de Vejer ein. Klaras Kopf pochte, und sie betrachtete ihre Freundin, die wie ausgeblutet neben ihr hockte. Was zum Teufel war mit ihr los? Mit ihrem Verhalten wurde sie langsam eine Gefahr für andere und sich selbst.

Klara sah, dass Martínez sie im Rückspiegel beobachtete, und schloss müde die Augen, bis er das Auto parkte. Über der Haustür brannte eine kleine Lampe. Der Rest des Hauses war dunkel. Martínez stieg aus und kam um den Wagen herum. »Kann ich Ihnen noch irgendwie helfen?«

»Nein, ich werd Camila jetzt nur noch ins Bett bringen. Vielen Dank fürs Heimfahren.« Klara konnte sich trotz seiner Hilfsbereitschaft nicht für ihn erwärmen, war aber dankbar, dass er wenigstens keine Fragen stellte oder sinnlose Bemerkungen machte.

Plötzlich straffte Camila sich wie erwachend und zog die Schlüssel aus der Tasche. »Ja, danke. Gute Nacht.«

Ihre Verabschiedung schloss auch Klara mit ein, aber diese ging bereits entschlossen auf die Haustür zu. »Ich lasse dich jetzt nicht allein. Entweder du redest mit mir, oder du weckst Gil und erzählst ihm, was passiert ist.«

»Was soll der Blödsinn? Nichts ist passiert. Ein Mann hat mich belästigt, ich habe mich gewehrt. Das war alles«, zischte Camila und versuchte, Klara von der Tür wegzuziehen.

»Damit kommst du jetzt nicht mehr durch. So hast du die Sache am Strand abgewiegelt, und am nächsten Tag war der Mann tot. Wenn ich nicht eingegriffen hätte, hättest du vorhin dem Mann mit dem Glas das Gesicht zerfetzt.«

»Er hat mir unter den Rock gegriffen. Bitte sprich leise!« Camila warf einen Blick zu den geöffneten Schlafzimmerfenstern.

»Jetzt spiel doch nicht die belästigte Unschuld. Du hast dich heute Abend aufgeführt, als wolltest du dringend jemanden abschleppen. Und zwar auf die Schlampentour«, zischte Klara.

»Also findest du, dass ich es mir selbst zuzuschreiben habe, wenn mir jemand unter den Rock greift? Und wenn er mich vergewaltigt hätte, wäre ich wohl auch selbst schuld, weil ich ihn ja provoziert habe?«

»Das hat er aber nicht. Mein Gott, du hast ihn die ganze Zeit fast in deinen Ausschnitt gesteckt, und irgendwann hat er eben zugegriffen. Ein zweites Nein hätte völlig gereicht.«

Die Haustür öffnete sich, Gil kam in Boxershorts und mit wirrem Haar heraus und starrte Camila an. Ihr Kleid war fleckig, das Gesicht vom Weinen geschwollen und die Augen mit schwarzen Schatten von der zerlaufenen Wimperntusche verschmiert. Das Mondlicht und der schwache Schein der Lampe ließen sie fast gespenstisch erscheinen.

Gil holte tief Luft. »Was ist passiert?«

»Es hat einen –«

»Nichts. Wir hatten einen Streit in der Disco. Nichts Wichtiges«, fiel Camila ihr ins Wort und schob Gil wieder ins Haus. »Gute Nacht, Klara.«

* * *

Klara tastete neben sich. Das Bett war leer. Sie öffnete die Augen, gegen alle Vernunft hoffend, aber es nützte nichts, der Schmerz hüllte sie ein wie eine zähe Masse und drückte ihr die Luft ab. Tagsüber begann Jans Bild zu verwischen. Aber nachts stahl er sich wieder in ihr Leben. Sie roch ihn, hielt ihn in den Armen, hörte sein Lachen. Und wollte doch nur, dass er endlich verblasste.

Sie quälte sich aus dem Bett, streifte ihr Nachthemd über den Kopf, ließ es auf den Boden fallen und drehte die Dusche an. Das eiskalte Wasser war hart wie Glasperlen und spritzte von ihren Schultern. Sie drehte ihr Gesicht in den scharfen Strahl und genoss das Prasseln auf ihrem Körper. Erst als ihr Körper taub geworden war, zog sie sich an und ging auf die Terrasse. Die schwüle Luft legte sich schwer auf ihre ausgekühlte Haut, und sie roch den Lavendel. Die Blüten waren schon zur Hälfte vertrocknet, aber Klara konnte sich nicht überwinden, sie zu wässern. Sie musste die Pflanzen herausreißen. Vielleicht würden dann auch die Träume aufhören.

Sie setzte sich und stützte den Kopf in die Hände. Da war noch etwas anderes, das nicht in Ordnung war. Die Ereignisse vom Vorabend sickerten langsam wieder in ihr Bewusstsein.

Klara lief über die Wiese zum großen Haus. Die Läden vor dem Schlafzimmer waren noch geschlossen, aber Sammy saß auf der Terrasse und schrieb in ihr Notizheft. Auf den Terrakotta-Fliesen standen Wasserpfützen, Tropfen auf den Blumen glitzerten in der Sonne, und Sammys riesiges graues Shirt war mit nassen Flecken gesprenkelt wie mit Konfetti.

»Hi, schläft Camila noch?«

Sammy nickte und schlug ihr Heft zu.

»Hast du schon Entwürfe für die Einladungen gemacht?«

Sammy nickte wieder und zog einen Computerausdruck aus ihrem Heft. Er zeigte eine farbige Skizze der Bar am Meer und einen kurzen Text. Nur das Datum fehlte noch.

»Perfekt! Kommst du mit zur Surfschule? Ich wollte mir ansehen, wie weit alles ist, und überlegen, wann wir aufmachen.«

Sammy schüttelte den Kopf. Ihr Gesicht war starr, ihre Augen weit aufgerissen, als wolle sie die Tränen zurückhalten.

»Ist alles in Ordnung mit dir?«, fragte Klara und musterte sie besorgt.

Sammy zuckte die Schultern und schlang die Arme um sich.

»Camila hat heute Nacht geweint und war am Strand«, kritzelte sie nach einer Weile in ihr Heft und blickte Klara nicht an, als hätte sie ein schlechtes Gewissen, etwas über ihre Mutter zu verraten.

Klara zögerte. »Machst du dir Sorgen?«

Sammy stiegen nun doch die Tränen in die Augen. Sie nickte, wischte ihre Wangen mit dem Handrücken ab und schrieb weiter: »Seit ein paar Monaten ist alles so anders.«

»Wie anders?«

»Camila redet nicht mehr. Sie sitzt nicht mehr bei uns, und nachts geht sie allein an den Strand.« Sammy zerkaute den Holzstift.

Klara fragte sich, wie viele Nächte Sammy wach gelegen hatte, um auf Camilas Rückkehr zu warten.

»Meinst du, sie lassen sich scheiden? Einmal lag hier eine Rose vor der Tür.«

Klara sah auf das Blatt in ihrer Hand, dann schaute sie zu Sammy. Ihr Blick glitt weiter zum Meer. In der Morgensonne leuchtete es blau und erstreckte sich gleichmütig unter dem wolkenlosen Himmel. Sie hätte Sammy gern beruhigt, aber sie fand die richtigen Worte nicht.

* * *

»Wir haben Gäste!« Sonia rannte über den Sand auf Klara zu. Ihr Gesicht war gerötet, und sie sah aus, als hätte sie ein Geschenk bekommen. Aus den neuen Boxen tönte Chill-out-Musik, und an einem der Tische unter den aufgespannten Sonnenschirmen saßen drei Männer mittleren Alters vor ihren Biergläsern.

»Sie haben gefragt, ob wir geöffnet haben, und ich dachte, ein paar Bier zu verkaufen kann nicht schaden. Leider haben wir noch nichts zu essen.« Sonia strahlte. »Soll ich schnell ein paar Brote aus der Stadt holen?«

»Lass mal. Dafür, dass wir gar nicht aufhaben, reicht auch Bier.«

Luis stand hinter der Bar und polierte Gläser. Klara fand, dass alles ziemlich professionell wirkte. Fast verwundert realisierte sie, dass es ihre eigene Strandbar war. Sie hätte nicht sagen können, ob sie mehr Stolz oder Angst empfand.

»Guck mal, da kommt schon wieder einer«, rief Sonia.

Am Wasserrand schlenderte ein Mann mit aufgekrempelten Hosenbeinen heran, schaute zur Bar und kam näher. Klara erkannte Martínez in Freizeitkleidung und Sonnenbrille, die Haare fielen ihm in die Stirn. Reflexartig drehte sie sich um und setzte sich mit dem Rücken zu ihm an einen Tisch.

»Kennst du den?«, fragte Sonia überrascht.

»Ja, das ist dieser Anwalt, der mich letztens rausgeschmissen hat.«

»Oh. Bekommt der hier trotzdem was zu trinken?«, fragte Sonia grinsend.

»Klar, wenn er zahlt.«

»Soll ich dir etwas bringen? Luis' *cortado* ist toll. Er macht den Kaffee wie auf den Kanaren, mit Kondensmilch.«

Als Klara nickte, trat Martínez an ihren Tisch.

»Señora Keitz!« Er fasste nach der Lehne eines Stuhls. »Darf ich?«

Klara nickte kurz, drehte ihren Stuhl und schaute aufs Meer.

»Wie geht es Ihrer Freundin?«

»Gut.«

»Schön.«

Nachdem sie einige Minuten schweigend aneinander vorbeigestarrt hatten, räusperte sich Martínez. »Mein Sohn hat mir erzählt, dass es gestern noch ziemlich viel Ärger gab. Der Mann, der Ihre Freundin belästigt hat, hat sich, nachdem wir weg waren, noch fürchterlich aufgeregt, hat herumgeschrien, das sei Körperverletzung gewesen, er wäre entstellt und wolle Ihre Freundin anzeigen. Aber falls sie niemand im Club gekannt hat, wird ihm das nicht viel bringen.«

»Und wenn doch?« Klara hatte eher den Eindruck gehabt, dass Camila dort ein und aus ging.

»Wird er auch nicht viel ausrichten können. Immerhin können wir und bestimmt noch ein paar andere bezeugen, dass er sie zuerst drastisch belästigt hat. Das Schlimmste haben Sie ja glücklicherweise verhindert. Ihre Freundin ist ziemlich … lebhaft.«

»Scheint so.« Klara hatte keine Lust, mit einem Fremden, der ihr nicht mal sympathisch war, über Camila zu reden, griff in die Tasche und setzte ihre Sonnenbrille auf.

Sonia brachte ihren Kaffee.

»Was möchten Sie?«

»Ich nehme auch einen *cortado*.« Er lächelte Sonia flüchtig zu. »Ich wusste gar nicht, dass Sie schon geöffnet haben.«

»Haben wir auch nicht, das ist heute eher eine spontane Aktion. Die Einweihungsparty ist am Samstag.« Entsetzt stellte Klara fest, dass sich das fast wie eine Einladung angehört hatte. »Müssen Sie heute nicht arbeiten?«

»Mittwochs mache ich schon mittags Schluss. Früher habe ich zehn, zwölf Stunden am Tag gearbeitet, aber wozu? Das Geld reicht auch so, und ich habe wenigstens noch Zeit, um es auszugeben. Haben Sie sich inzwischen überlegt, was Sie wegen der Surfschule unternehmen wollen?« Er schien fest entschlossen zu sein, sich mit ihr zu unterhalten.

Klara zuckte die Schultern. »Was soll ich schon unternehmen? Ich lasse sie erst mal leer stehen und werde in den nächsten Tagen inserieren, um etwas von dem Material loszuwerden.«

»Darum bin ich eigentlich vorbeigekommen. Ich habe mir die Sache noch einmal durch den Kopf gehen lassen und zwei Vorschläge für Sie. Falls Sie das Material verkaufen und nur die Bar betreiben wollen, würde die Firma die Sachen mit einem geringen Verlust für Sie zurücknehmen. Falls nicht, würde mein Sohn gern bei Ihnen als Surflehrer jobben. Jedenfalls in den Semesterferien.«

Klara ließ ihren ausgestreckten Fuß in der Luft hängen und starrte Martínez an.

»Was ist denn mit Ihnen los? Beim letzten Mal schmeißen Sie mich fast raus, und jetzt kommen Sie an wie ein Zauberer auf einem Kindergeburtstag, der plötzlich das Kaninchen aus dem Hut zieht, ohne dass ich Sie beauftragt habe.«

»Vielleicht tut es mir leid, dass ich … nun … nicht besonders freundlich zu Ihnen war.«

»Vielleicht? Sie waren arrogant und unfreundlich, obwohl ich lediglich die falsche Kleidung getragen habe.«

»Es tut mit wirklich leid. Mit Ihrer Kleidung hatte das gar nichts zu tun. Sie haben sich einfach angehört wie ein dummes Huhn. Entschuldigen Sie bitte. Heute beauftragen Sie mich hiermit, morgen damit, und am Ende zahlen Sie nicht, weil Sie ja kein Geld haben. Solche Klienten sind die Pest. Sie haben Ihren Job gekündigt, um nach Spanien zu gehen, wo Sie einem Surflehrer, vermutlich jung und hübsch, eine Surfschule gekauft haben, und dann verschwindet der plötzlich von der Bildfläche. So ein unglaublicher Schwachsinn!« Er unterbrach sich. »Entschuldigen Sie bitte, das geht mich nun wirklich nichts an.« Er errötete, aber nachdem er einmal angefangen hatte, schien er kaum aufhören zu können, Klara den schlechten Eindruck, den sie in seiner Kanzlei auf ihn gemacht hatte, detailliert zu schildern.

»Und warum sind Sie dann heute hier?«

»Also, gestern … Sie wirkten ganz anders auf mich, gar nicht mehr wie die dumme, naive Mittvierzigerin, als die ich Sie eingeschätzt habe.« Er schüttelte mit einem schiefen Lächeln den Kopf. »Ich mache alles nur schlimmer, oder? Jedenfalls tat es mir leid, dass Sie in diesen Schwierigkeiten stecken und ich Sie weggeschickt habe. Aber ich hab ja auch nicht viel gemacht. Ein paar Anrufe, und mein Sohn sucht sowieso einen Ferienjob. Ihre Konzession geht übrigens in Ordnung.«

Zwei junge Frauen in Bikinihosen und T-Shirts kamen näher, sahen die Bar und steuerten eingehakt auf einen der Tische zu. Als Sonia ihre Bestellung an Luis weitergab, formte er aus Daumen und Zeigefinger einen Kreis, grinste und griff nach dem Cocktailshaker.

»Was halten Sie davon? Ich hoffe, ich habe Sie mit meiner Erklärung nicht schon wieder beleidigt.« Martínez errötete noch einmal.

Klara merkte, wie sich erstmals seit Tagen ihre Anspannung löste. Zwischen den beiden Tischen mit den Männern und den Frauen tat sich etwas. Scherze flogen hin und her und lösten jedes Mal begeistertes Gelächter aus, bis einer der Männer aufstand und mit einer einladenden Handbewegung die Frauen an ihren Tisch bat.

»Na ja, die meisten Beleidigungen, die ich bisher zu hören bekommen habe, waren schmeichelhafter als Ihre Entschuldigung. Aber wenigstens sind Sie ehrlich. Außerdem – ich bezahle zwar jede Rechnung, aber mit dem dummen Huhn liegen Sie wohl gar nicht so verkehrt.« Klaras Blick folgte Sonia, die ein Tablett voller bunter Cocktails mit roten und grünen Schirmchen zu den Gästen trug. »Sagen Sie Ihrem Sohn, er hat den Job.«

Martínez lächelte fast unmerklich. Er setzte die Sonnenbrille ab, und Klara stellte fest, dass seine grünen Augen mit den geschwungenen Wimpern ihn durchaus attraktiv machten, auch wenn er sonst kein Adonis war.

Ein plötzlicher Luftstoß wehte vom Meer und blähte die Fahnen an ihren Masten. Es war noch schwüler geworden. Der heiße, feuchte Wind wehte den Geruch von Fisch und Algen herüber, und über den Horizont zog sich ein dunkles Wolkenband.

Martínez leerte seine Tasse und legte ein paar Münzen auf den Tisch. »Es sieht nach Gewitter aus. Ich sehe zu, dass ich vorher nach Hause komme. Viel Glück, Señora Keitz!«, sagte er und ging zum Meer hinunter.

Am Wasserrand jagte ein Hund tief fliegende Möwen und rannte an Martínez vorbei. Er pfiff nach dem Hund, hob ein Stück Treibholz auf und warf es über den Strand.

»Warten Sie!«, rief Klara. Sie sprang auf und holte ihn ein. »Ich würde mich freuen, wenn Sie und Ihr Sohn am Samstag zur Einweihungsparty kämen. Um acht geht's los. Bringen Sie auch Ihre Frau mit.« Sie reichte ihm die Hand. »Und vielen Dank.«

Nachdem sie Tische und Stühle in die Bar geräumt hatten, verabschiedete Klara sich von Luis und Sonia und machte sich auf den Heimweg.

Mittlerweile war der Himmel von dunklen Wolken bedeckt. Luis und Sonia hatten Klara angeboten, im Auto mitzufahren, aber sie verspürte das Bedürfnis, ein Stück zu laufen.

Nach der sengenden Sonne der letzten Tage überzog das Zwielicht alles mit einem seltsamen Leuchten, in dem der Strand wie eine gigantische Kulisse wirkte. Immer wieder erfüllte die Atmosphäre vor einem Gewitter Klara mit Staunen. Es war eine Ruhe, die alles veränderte und schon das Unwetter in sich trug. Überrascht stellte sie fest, dass sie in der letzten Stunde nicht an Jan gedacht hatte.

Der Wind entwickelte sich fast zum Sturm und brachte die Gewitterfront zusehends näher, während die drückende Hitze ihren Höhepunkt erreichte. Schweißtropfen liefen Klaras Rücken hinunter. Als der erste gedämpfte Donner heranrollte und der Regen losbrach, erreichte sie die Treppe in den Klippen, die zu ihrem Garten führte. Dicke Tropfen peitschten den Sand und klatschten fast schmerzhaft auf ihre Haut. Bis Klara sich über die glitschigen Stufen nach oben gekämpft hatte, war das Geräusch der Brandung zu einem Tosen angeschwollen, untermalt vom Krachen des Donners, der sich in immer kürzeren Abständen mit Blitzen abwechselte und dann überlagerte. Abrupt brach der Regen ab. Das Wasser verdampfte auf dem aufgeheizten Gelände, die Luft roch nach feuchter Erde, und Dunstschwaden waberten über dem Boden. Im schwachen Licht war der Garten ein Ort voller Schatten. Klara konnte Formen sehen, die sich zusammenfügten, trennten und in dunklen Ecken miteinander verschmolzen.

Als ein Blitz die Dämmerung erhellte, meinte Klara zwischen den Pinien an der großen Finca schemenhaft eine Gestalt zu erkennen. Sie zögerte. Hinter den Bäumen lockte ihr schützendes Haus. Aber warum sollte Camila oder Sammy im Garten stehen? Vielleicht hatten sie sich gestritten. Sie lief über den aufgeweichten Rasen. Genauso plötzlich, wie er ausgesetzt hatte, brach der Regen von neuem los.

Über den Himmel zuckte wieder ein Blitz und Klara blieb erschrocken stehen. Jetzt erkannte sie deutlich, dass jemand reglos vor dem Schlafzimmerfenster der Finca stand, eindeutig zu groß für eine der beiden Frauen. Dann löste sich die Gestalt aus dem Schatten der Bäume und lief zum Tor. Klara holte tief Luft, um sich Mut zu machen, und rannte hinterher, aber als sie die Straße erreichte, war niemand zu sehen. Inzwischen war ihr eiskalt. Sie lief zurück zur Finca und klingelte. Als hätten sie auf sie gewartet, öffnete Sammy sofort die Tür, und Camila kam aus dem Schlafzimmer. Sie war barfuß, ungeschminkt und trug ein weites Herrenhemd. Ihre Haare standen wirr um den Kopf, und plötzlich fühlte Klara wieder die alte Vertrautheit.

»Wo kommst du denn her?« Bevor Klara antworten konnte, verschwand Camila im Bad und kam mit Handtuch und Bademantel über dem Arm zurück.

Zu Klaras Füßen bildete sich eine Pfütze auf den Fliesen. Zitternd vor Kälte tauschte sie ihre nassen Sachen gegen den Bademantel und frottierte sich das Haar. »Ich war auf dem Weg vom Strand nach Hause, und dann dachte ich, ich hätte jemanden hier in den Büschen vor deinem Schlafzimmer gesehen.«

»Und, war da wirklich jemand?«, fragte Camila tonlos. Ihre Haut wirkte grünlich unter der Bräune. Sie biss die Zähne so fest aufeinander, dass ihre Wangenmuskeln wie Stränge hervortraten.

»Ja. Ich bin ihm – oder ihr – bis zur Straße hinterhergelaufen, habe dann aber niemanden mehr gesehen. Ich glaube allerdings, dass es ein Mann war, wegen der Größe. Gil ist doch arbeiten, oder?«

Ohne zu antworten, lief Camila ins Schlafzimmer und öffnete die Glastüren zum Garten. Der Flügel, den sie an der Klinke hielt, wurde ihr vom Wind aus der Hand gerissen und ganz aufgestoßen, die Vorhänge blähten sich, abgerissene Blätter und Zweige wehten ins Zimmer. Ohne zu beachten, dass sie sofort vom Regen durchnässt wurde, ging Camila in den Garten und suchte den Boden vor dem Schlafzimmer ab, kniete sich auf die nassen Steinfliesen und tastete auf der Erde unter den Pflanzen herum.

»Was machst du denn da? Komm wieder rein!« Klara

zog Camila ins Zimmer, legte ihr das feuchte Handtuch um die Schultern und zog die hauchdünnen Vorhänge zu. Trotz Camilas Panik strahlte der Raum Geborgenheit aus, eingerichtet mit Möbeln aus dunklem Holz und bunten Teppichen. Klara dachte an ihr eigenes Schlafzimmer. Alle ihre Wohnungen sahen immer leer und kahl aus, als wäre sie gerade erst eingezogen. Das Bild ihres Vaters war das einzige in einer Reihe von Wohnungen, das es bis an einen Nagel geschafft hatte.

Sammy lehnte mit verschränkten Armen am Türrahmen und beobachtete ihre Mutter mit zusammengekniffenen Augen. Wasser tropfte aus Camilas Haaren und lief über ihr Gesicht, aber sie wischte es nicht ab. Sammy ging zu ihr, nahm das Handtuch und trocknete sie sanft ab.

»Willst du nicht die Polizei rufen?«

»Wozu?«, fragte Camila schroff. »Es ist doch gar nichts passiert.«

Unter der Oberfläche war Camilas Angst deutlich zu spüren, und Klara erinnerte sich an die Rose vor der Tür, von der Sammy ihr erzählt hatte. »Ist so was schon mal passiert?«

»Wieso? Das war bestimmt ein verirrter Tourist, vom Gewitter überrascht. Du weißt doch, dass wir immer mal wieder welche hier haben.« Ihre Stimme war eine Spur zu laut.

»Hör auf, Camila, irgendwas ist doch los!«

Sammy verließ das Schlafzimmer und schloss leise die Tür hinter sich.

»Nichts ist los. Hör du endlich auf, mich zu nerven! Ich bin nicht deine Patientin und habe auch nicht vor, eine zu werden«, sagte Camila mit der kalten und ruhigen Stimme, die Klara erst in den letzten Tagen an ihr kennen gelernt hatte.

»Aber du bist meine Freundin. Du würdest mich auch nicht einfach hängen lassen, wenn du merkst, dass es mir schlecht geht.«

»Ich würde dich jedenfalls nicht löchern. Selbst wenn du Recht hättest, ich will doch ganz offensichtlich nicht darüber reden. Kannst du das nicht respektieren? In diesem Regen kannst du nicht raus. Bleib hier, solange du willst. Du kannst auch ein heißes Bad nehmen. Aber ich muss jetzt allein sein.« Camila ging zur Schlafzimmertür und hielt sie auf.

»Gut, aber kümmere dich wenigstens um Sammy. Sie fängt doch gerade erst an, euch zu vertrauen. Falls du das noch nicht mitbekommen hast: Sie hat furchtbare Angst, dass alles kaputtgeht, wahrscheinlich gibt sie sich sogar selbst die Schuld. Und wenn ich dir helfen kann, komm zu mir.«

»Zum Teufel! Du bist immer so entsetzlich tugendhaft und verständnisvoll. Du irrst dich nie, machst nichts falsch. Gut, du verliebst dich mal in den falschen Mann und ruinierst für ihn deine Existenz, aber dann verbrennst du seinen gesamten Kram, fängst neu an und all deine Probleme lösen sich in rosarotem Wohlgefallen auf. Dir passiert es nie, die Kontrolle zu verlieren, zu viel zu saufen, deine Würde zu verlieren. Du wirst nicht von Dämonen gejagt. Verstehst du: Ich kann deine Gesellschaft im Moment einfach nicht ertragen!«

Wortlos wandte Klara sich zur Tür und verließ das Haus, ohne sich um den Regen zu kümmern, der sich mit ihren Tränen mischte.

* * *

Klara saß auf einem Stuhl vor der Bar und sah sich um. Fast alle Tische waren besetzt. In den letzten drei Tagen war die Bar bereits ein beliebter Anlaufpunkt für Strandspaziergänger geworden. Sonia lief geschickt zwischen den Tischen hin und her und verteilte Getränke. Hinter dem Tresen schüttelte und zapfte Luis, Sammy stand auf einer Leiter vor der Hütte und befestigte eine bunte Lichterkette. Zusammen mit Klara hatte sie den ganzen Tag gekocht, gebacken, gebraten und mariniert. Zwischen der Hütte und den Stühlen hatte Luis auf dem Sand eine Bühne aus Brettern für die Flamenco-Tänzer aufgebaut. Es war Freitag, morgen Abend war der Termin für die offizielle Einweihungsparty.

Am Ufer drängten sich schreiende Möwen zu einem Knäuel und pickten an einem dunklen Klumpen herum. Als sich ein hoch gewachsener Mann in Shorts und flatterndem Hemd näherte, flogen sie auf, aber die hartnäckigsten unter ihnen stießen immer wieder kreischend auf den Brocken hinab.

Der junge Mann kam vom Ufer zur Bar herauf, blieb stehen, musterte die Gäste und ging dann zielstrebig zu Klaras Tisch. »Sie müssen Señora Keitz sein. Mein Vater hat Sie mir beschrieben. Ich bin Gabriel Martínez.«

Er nahm seine Sonnenbrille ab und lächelte Klara mit strahlend blauen Augen an. Sein schlaksiger Körper hätte eine Kopie seines Vaters sein können, aber sein fein gezeichnetes Gesicht und die blonden Haare waren vermutlich ein Erbteil der Mutter. Beim Anblick seiner kinnlangen Haare zog sich Klaras Magen schmerzhaft zusammen, dann schüttelte sie den Gedanken an Jan ab, begrüßte Gabriel und zog den Schlüssel zur Surfschule aus der Tasche.

»Stimmt, ich bin Klara. Wenn du möchtest, guck dir erst

mal alles an.« Sie zeigte zur Hütte. »Von mir aus kannst du direkt morgen anfangen. Das heißt – morgen ist Einweihung, also am Sonntag.« Ihr war klar, dass sie nicht ewig vermeiden konnte, sich ernsthaft um die Surfschule zu kümmern, wenn sie sie behalten wollte. Sie würde in den Räumen wieder ein und aus gehen müssen, vermutlich spätestens morgen, aber sie wollte sich eine Auszeit gönnen, solange es möglich war. Erstaunt beobachtete sie, dass Sammy, die normalerweise Fremden gegenüber sehr zurückhaltend war, von der Leiter gestiegen war und Gabriel voran ins Gebäude ging.

»Der ist aber süß. Ist das der neue Surflehrer?« Sonia trat an Klaras Tisch und ließ sich auf einen Stuhl plumpsen.

Klara nickte. ›Rosarotes Wohlgefallen‹ schoss ihr durch den Kopf.

»Dann wird wohl zumindest rund um Conil Surfen keine Männerdomäne bleiben«, stellte Sonia grinsend fest, wischte mit einem Schwamm über den Tisch und stand auf. »Ich habe bei allen kassiert und fang schon mal an zusammenzuräumen. Ich denke, in einer Viertelstunde können wir zumachen. Zwei von den Gästen haben übrigens gefragt, ob sie hier Bretter leihen können, und wollen nächste Woche wiederkommen.«

Sammy und Gabriel tauchten aus der Hütte auf und gingen zu Klaras Tisch. Als Sonia sich wieder hinsetzte, legte Luis an der Bar sein Handtuch zur Seite und kam ebenfalls langsam zu ihnen herüber.

Klara sah den Jungs, die sich jetzt beide langsam ihrem Tisch näherten, leicht besorgt zu. »Hoffentlich gibt es kein Problem, wenn hier zwei Alphamännchen arbeiten.«

»Ach nee, solange Luis mich hat und ihm kein anderer in seinen Job reinredet, ist ihm egal, wer den Rest bekommt.

Die beiden müssen nur erst mal ihr Revier abstecken«, kicherte Sonia.

Die Männer musterten sich aus den Augenwinkeln und grinsten sich dann an. Sonia zwinkerte Klara zu und ging mit Luis zurück zur Bar. Nachdem die Begrüßungsrituale abgeschlossen waren, setzten sich Gabriel und Sammy zu Klara.

»Das Einzige, was hier noch fehlt, sind Kunden. Wenn du willst, kann ich Sonntag anfangen.«

»Ausgezeichnet.« Klara nickte. »Kommst du morgen auch zur Party?«

Gabriel hielt eine Einladung hoch und lächelte kurz Sammy zu, die ihn ruhig ansah. »Sicher.«

Die Sonne hing inzwischen wie eine dicke Clementine über dem Horizont und überzog Wasser und Himmel mit einem lilafarbenen Hauch. Nachdem die Gäste und Gabriel gegangen waren, fuhren Sonia und Luis Sammy nach Hause. Klara blieb allein zurück in der Bar. Sie goss sich einen großzügigen Gin ein, kippte einen kleinen Schuss Tonic und Eis dazu, dann lehnte sie sich mit dem Drink in der Hand in ihrem Sitz zurück und streckte die Beine aus. Müde beobachtete sie die Möwen, die den Strand wieder in Besitz genommen hatten, und nahm einen großen Schluck aus ihrem Glas. Seit einer Ewigkeit verspürte sie wieder das Verlangen nach einer Zigarette. Alles lief weit besser, als sie erwartet hatte, aber es fühlte sich nicht so an.

»Haben Sie noch geöffnet?« Eine Stimme erklang hinter ihrem Rücken. Erschrocken fuhr Klara herum. Hinter ihr stand ein Fremder, der sie auf den ersten Blick so sehr an Jan erinnerte, dass ihr das Glas aus der Hand rutschte. Kalt lief der Gin Tonic ihre nackten Schenkel hinab, und die Eiswürfel sammelten sich in ihrem Schoß. Sie sprang auf und wischte ihre Beine ab. Auf ihren Shorts breitete sich ein großer nasser Fleck aus. Ihr Herz raste und ihr war schwindelig.

Auf den zweiten Blick sah der Fremde ganz anders aus als Jan. Gemeinsam hatten sie nur die ausgebleichten Haare, Frisur und Kleidungsstil, weites blaues Shirt und knielange hellgraue Shorts, die verwaschen, aber teuer wirkten. Zum ersten Mal fiel Klara auf, wie sehr Jan dem Stereotyp eines Surfers entsprochen hatte.

»Entschuldigen Sie, ich wollte Sie nicht erschrecken.«

»Ist danebengegangen.«

»Bekomme ich trotzdem etwas zu trinken?«

»Wir haben geschlossen.« Ohne ihn weiter zu beachten, ging Klara hinter die Bar, um sich einen neuen Drink zu mischen. Der Blonde folgte ihr, setzte sich auf einen Barhocker und sah ihr beim Mixen zu. Er leckte an der Spitze seines Zeigefingers und strich langsam über sein schmales Kinnbärtchen.

»Wir haben geschlossen«, wiederholte Klara kurz.

»Sieht aber nicht so aus.«

»Hört sich aber so an.« Klara stieß den Löffel in den Eiswürfelbehälter und versuchte ihren Ärger zu zügeln. Als Barchefin sollte sie so lange wie möglich einen Rest von Charme behalten.

»Eigentlich bin ich auch nicht gekommen, um etwas zu trinken, sondern um mit Ihnen zu reden. Ich bin Paco Jiménez-Pinzón.«

Klara blickte auf. Sein Gesicht war fast hässlich. Bis auf die eng zusammenstehenden Augen war alles eine Spur zu groß geraten. Aber sein breites Lachen war erstaunlich anziehend.

»Ich interessiere mich für Ihren Strandpavillon.«

»Und?« Klara nippte an ihrem Glas und sah ihn fragend an.

»Ich habe gehört, dass Ihre Pläne, eine Surfschule zu eröffnen – na ja, nicht so ganz geklappt haben, und würde Ihnen gern helfen.«

»Und wie?«

»Ich würde Ihnen gern den Pavillon abnehmen. Zumindest die Surfschule.« Jiménez grinste breit.

Klara erwiderte unwillkürlich sein Lächeln. »Tja, wenn Sie zwei Stunden eher gekommen wären, hätte mich Ihr Angebot vielleicht sogar interessiert.« Sie zuckte mit den Schultern. »Aber Sie können mir gern Ihre Telefonnummer dalassen. Vielleicht komme ich demnächst darauf zurück.«

Jiménez, dessen Gesicht sich verhärtet hatte, beugte sich über den Tresen, griff nach Klaras Glas und trank einen großen Schluck. Sie starrte ihn verblüfft an.

»Ich bin wirklich sehr an dem Pavillon interessiert, Klara.« Seine Stimme klirrte plötzlich frostig. »Ich hatte Jan bereits einige Angebote gemacht, die er leider abgelehnt hat. Hat er dir nicht davon erzählt? Jetzt, wo er weg ist, solltest du es dir noch einmal gut überlegen. Du hast keine Ahnung vom Geschäft oder vom Surfen und erst recht nicht von den Gepflogenheiten in unserem Land.« Er lachte, leerte ihr Glas und ließ es in das Becken mit Spülwasser fallen, dass das Wasser aufspritzte und Klaras T-Shirt durchnässte.

»Das reicht!«, entfuhr es Klara. »Verschwinden Sie.«

Er stand auf, das Lachen zurücklassend. »Bis bald.«

* * *

»Acht Uhr dreißig, die Nachrichten.« Im ersten Moment war Klara verwirrt, weil die Sprecherin im Radiowecker Spanisch redete. Schlaftrunken drückte sie auf den Aus-

Knopf und drehte sich um, als ihr einfiel, dass heute der Tag der Einweihungsparty war. Sie stand auf und stellte die Kaffeemaschine an, die zischend die heiße Flüssigkeit ausspuckte, während sie sich im Badezimmer kaltes Wasser ins Gesicht spritzte.

Wochenlang hatte sie sich auf diesen Tag gefreut, und nun musste sie sich zwingen zu funktionieren, um ihn hinter sich zu bringen. Sie hoffte, dass Camila wenigstens zur Feier kommen würde, auch wenn sie sich in den letzten Tagen nicht mehr bei ihr gemeldet hatte.

Ian MacEwan und seine Frau Ana, Freunde von Klara, die ein wunderschönes Hotel auf den Klippen von Conil besaßen, würden heute Abend *churros,* selbst gebackenes Brot und einen riesigen Topf *sopa de pescado* mitbringen. Jane hatte zwei Kisten Champagner gespendet. Comisario Sànchez Algarra hatte von seinem Bruder, einem der letzten Fischer in Conil, einen Korb Muscheln besorgt, die seit gestern in einem Fass in der Barküche wässerten. Zusammen mit Gils Paella, unzähligen Tapas, *puchero,* einem Eintopf mit Fleisch, Wurst und Kichererbsen, und mehreren Litern Gazpacho, die sie mit Sammy vorbereitet hatte, war sie auf eine Legion von Gästen vorbereitet.

Klara setzte sich mit ihrem Kaffee auf die Terrasse. Die Sonne leuchtete mal wieder von einem wolkenlos blauen Himmel. Der Garten war in Licht und Luft getaucht, und es roch nach Salz und wilden Kräutern.

Sie packte eine Kiste voller Lebensmittel, lud sie ins Auto und fuhr zur Bar. Auf dem Parkplatz hockte neben den Mülltonnen der streunende Hund und winselte leise, als er sie sah. Als sie mit dem Fuß die Wagentür schloss, lief er mit eingekniffenem Schwanz zurück zum Strand. Ächzend schleppte Klara den Karton zur Tür, setzte ihn im Sand ab und versuchte den Schlüssel ins Schloss zu stecken. Doch die Tür schwenkte schon bei der ersten Berührung nach innen auf.

Jan ist zurückgekommen. Hoffnung explodierte in ihr, bis ihr einfiel, dass er seine Schlüssel nicht mitgenommen hatte.

Klara atmete tief ein, bis ihr Puls langsamer wurde und ihre Atmung sich normalisiert hatte. Sie war sich sicher, dass sie gestern Abend abgeschlossen hatte. Sonia und Luis hatten einen eigenen Schlüssel. Vielleicht waren sie später noch mal hier gewesen, aber sie konnte sich nicht vorstellen, dass sie die Tür nicht hinter sich verschlossen hatten.

Sie zuckte die Achseln. Nachher würde sie die beiden fragen. Sie hob die Kiste hoch, schob die Tür mit der Schulter ganz auf und ging einen Schritt in den Raum. Noch geblendet vom Sonnenlicht draußen, wartete sie einen Moment, bis ihre Augen sich an das Halbdunkel gewöhnt hatten.

Dann erblickte sie das Objekt in der Mitte des Zimmers. Im ersten Augenblick weigerte sich ihr Gehirn zu glauben, was sie sah. Auch wenn es nicht mehr so aussah, wusste sie instinktiv, dass das, was da zu einem Rad zusammengeschnürt an einer Kette von einem der Deckenbalken baumelte, ein Mensch und keine Puppe war. Unter dem bizarren Gebilde aus zerbrochenen Knochen und zerfetztem Fleisch glänzte eine dunkle Lache auf den Bodenplanken. Der Körper war rückwärts gebogen und bildete einen perfekten Kreis, bei dem die Knöchel über dem Nacken festgebunden waren.

Benommen ließ Klara die Kiste auf den Boden fallen und taumelte rückwärts aus dem Raum, immer weiter, bis sie mit den Füßen im Wasser stand. Einen Moment verharrte sie, dann rannte sie zum Auto und zog ihr Handy aus der Tasche.

»Sànchez! In meiner Bar hängt eine Leiche! Bitte kommen Sie! Schnell!« Die schrille Stimme schien nicht ihr zu gehören.

»Fassen Sie nichts an! Ich bin sofort bei Ihnen.«

Ihre Knie gaben nach. Sie lehnte sich mit dem Rücken an ihren Wagen und rutschte ganz langsam in den Staub.

Es war noch keine Viertelstunde vergangen, als Klara die Sirenen hörte. Kurz darauf stoppten zwei Wagen der *Policía Municipal* auf dem Parkplatz. Der Comisario lief direkt zu Klara. »Ist alles in Ordnung mit Ihnen?«

Klara nickte ohne aufzusehen.

»Wo ist die Leiche?«

Klara machte eine müde Handbewegung. »In der Bar.«

»Warten Sie hier.« Der Comisario winkte seinen Männern, und sie folgten ihm mit ihren Taschen und Koffern um das Haus.

Klara stand auf und klopfte den Staub von ihren Jeans. In ihrem Auto herrschte das übliche Chaos. Wie betäubt sammelte sie die leeren Coladosen und braunen Bananenschalen ein, warf sie in die Mülltonne und sortierte dann den Inhalt ihres Rucksacks.

Wenigstens ist es diesmal keine Figur von Camila, schoss ihr durch den Kopf. Aber es war ganz ihr Stil, jedenfalls wenn das Arbeitsmaterial kein Mensch, sondern Beton gewesen wäre. In einer Staubwolke bremste der Wagen eines Bestattungsunternehmens neben ihr. Zwei Männer in schwarzen Anzügen stiegen schweigend aus, zogen einen Zinksarg aus dem Heck und bogen ums Haus. Klara verscheuchte die Vorstellung, was sie mit dem Toten anstellen mussten, um ihn in den Sarg zu bekommen, falls die Leichenstarre eingesetzt hatte.

Die Einweihungsfeier war damit wohl ins Wasser gefallen. Was sollte jetzt mit dem ganzen Essen geschehen?

Würde überhaupt noch jemand in einer Bar essen oder trinken wollen, in der eine Leiche ausgeblutet war? Vielleicht sollte sie die Bar *El cadáver* taufen. Klara saß kichernd in ihrem Wagen, als der Comisario zurückkam. Er musterte sie besorgt.

»Nur ein kleiner hysterischer Anfall.« Klara riss sich zusammen. »Wissen Sie schon irgendwas?«

»Nicht viel. Das Schloss wurde aufgebohrt. Das Opfer ist ein Mann, etwa dreißig Jahre alt, und irgendwann im Laufe der Nacht ermordet worden. Erzählen Sie mir, was Sie gesehen haben!«

»Nur, was Sie auch gesehen haben. Ich bin nicht näher herangegangen. Es muss gegen halb zehn gewesen sein. Die Tür war offen …«, antwortete sie leise.

»Es tut mir leid, Klara. Wenn Sie wollen, können Sie nach Hause gehen. Ich komme später noch mal bei Ihnen vorbei. Die Einweihungsfeier müssen Sie leider verschieben. Wir riegeln hier erst mal alles ab, bis die Spurensicherung fertig ist. Von uns aus können Sie aber ab morgen, spätestens übermorgen, wieder in die Räume.«

* * *

»Die Party ist auf nächsten Samstag verschoben, Jane. Sag allen Bescheid, die du erreichen kannst.« Klara legte den Hörer auf. Mit etwas Glück funktionierte das Schneeballsystem und verhinderte einen Auflauf enttäuschter Gäste vor dem gelben Absperrband. Luis und Sonia würden am Abend zusätzlich an der Surfschule warten, um die übrigen Besucher zu vertrösten. Mit Sicherheit würde der zweifelhafte Ruhm eines Mordschauplatzes die Attraktivität der Bar steigern – zumindest für die nächsten Tage.

Klara schauderte. Warum musste gerade sie die beiden

Leichen finden? Das Drapieren deutete auf eine Verbindung hin, auf irgendeine Art auch mit Camila, aber sie konnte in dem Ganzen kein Muster erkennen. Sie erhob sich und ging zur Finca hinüber, um ihrer Freundin von der Leiche zu erzählen, bevor sie es von jemand anderem hörte.

Als Klara die Terrasse erreichte, verteilte Gil gerade Teller auf dem Frühstückstisch und Camila kam mit einem Tablett heraus, auf dem eine Kanne Kaffee und ein Topf mit dampfender Milch standen. Sie war bleich und hatte Schatten unter den Augen wie nach einer schlechten Nacht. Wortlos lächelte sie Klara zu und holte Geschirr für sie aus der Küche. Durch die geöffnete Küchentür zog der Duft der Fischbouillon für die Paella.

Klara goss Kaffee in die Becher und setzte sich. »Ich habe schlechte Neuigkeiten. Ich brauche die Paella erst nächste Woche. Die Party ist verschoben.« Sie trank einen Schluck Kaffee und blickte über den Rand ihrer Tasse Camila an. »Ich habe schon wieder eine Leiche gefunden, diesmal direkt in der Bar.«

Camila, Gil und Sammy starrten sie an.

Gil fand zuerst die Sprache wieder. »War es ein Unfall?«

»Eher nicht. Die Leiche hing an der Decke.«

»Ein Selbstmörder!« Gil klang erleichtert.

»Kaum. Der Tote war rückwärts zu einer Art Rad zusammengeschnürt.«

Camila setzte ihre Sonnenbrille auf und begann langsam ihr Brot zu belegen. Falls möglich, war sie noch blasser geworden. Klara beobachtete ihre abgezirkelten Bewegungen, und gegen ihren Willen stieg Misstrauen in ihr auf.

Plötzlich gab Sammy einen Laut von sich, zum ersten Mal, seit Klara sie kannte. Ihre dunkle Haut wirkte wie Asche. Sie zitterte so heftig, dass die heiße Milch aus ihrer

Tasse auf ihr Shirt schwappte, aber sie schien es nicht einmal zu bemerken.

Camila sprang mit einem Satz auf und nahm ihr den Becher aus der Hand, dann kniete sie vor ihr nieder. »Ist gut, Schatz. Es ist alles in Ordnung«, murmelte sie und wiegte Sammy wie ein kleines Kind. »Meine letzte Skulptur ist *El circulo*. Es sieht so aus, als würde Sammy sie kennen«, gab sie tonlos von sich. »Sie ist fürchterlich geworden und ich hatte nicht vor, sie jemandem zu zeigen. Sie steht oben im Atelier.« Sie sprang auf. »Ich schwöre euch, ich habe keine Ahnung, was hier passiert.«

Camila lief ins Haus und kam kurz darauf mit einer armlangen Skulptur aus rotbraunem Beton wieder und stellte sie auf den Tisch. »Und, sah die Leiche so aus?«

»Ja.«

El circulo thronte zwischen Salami und Schinken auf dem Tisch. Klara schüttelte sich. Das Summen der Insekten hatte plötzlich etwas Obszönes. Alles im Umkreis der Figur wirkte faulig. Fast glaubte Klara, den Geruch von Aas wahrzunehmen.

Die Stille wurde durch das Dröhnen eines Dieselmotors zerrissen, und sie hörten, wie in der Einfahrt ein Auto geparkt wurde. Gil sprang blitzschnell auf, griff nach der Skulptur und schleuderte sie in ein dicht bewachsenes Beet, wo sich die Blätter sofort wieder über ihr schlossen und noch leise bewegten, als wäre eine Brise über sie hinweggestrichen.

Comisario Sànchez Algarra bog um die Hausecke. »Entschuldigen Sie bitte die Störung!«

»Sie kommen gerade richtig. Der Kaffee ist noch heiß.« Gil stand auf und zog Sànchez einen Stuhl zurecht.

»Danke.« Der Comisario schüttelte knapp den Kopf und setzte sein offizielles Gesicht auf.

Nachdem er seinen Stuhl gerade so weit zurückgezogen hatte, dass er nicht wie ein Teil ihrer kleinen Gruppe wirkte, setzte er sich.

»Wir haben die Identität des Toten festgestellt. Pepe Salgado.« Er heftete seinen Blick auf Camila, die ihm gleichmütig zuhörte. »Sie sollen mit dem Mann vor einigen Tagen im *Café Cuba* einen sehr heftigen Streit gehabt haben.«

Klara ließ ihr Messer fallen.

»Pepe? Das ist der Tote? Seinen Nachnamen kannte ich nicht. Stimmt, er hat mich im Club belästigt und ich habe mich gewehrt«, antwortete Camila gelassen. In ihrer Stimme schwang ein Ton mit, den Klara nicht identifizieren konnte.

»Es soll mehr als das gewesen sein. Angeblich haben Sie versucht, ihm ein Glas ins Gesicht zu stoßen, und dann einen Kratzer versetzt, der im Krankenhaus genäht werden musste.« Sànchez ließ Camila nicht aus den Augen.

»Nun, er hat mir unter den Rock gegriffen und nicht aufgehört, als ich ihn dazu aufgefordert habe. Aber was soll das? Ist das hier ein Verhör? Glauben Sie, dass ich wegen so einer Banalität den Mann umgebracht habe?«

»Wo waren Sie heute Nacht?«, fragte Sànchez fast entschuldigend.

»Zu Hause, im Bett«, antwortete Gil. »Und zwar absolut sicher. Ich konnte heute wegen der Hitze kaum schlafen.«

Klara fand seine Beteuerung übertrieben, aber der Comisario steckte sein Notizbuch ein und stand auf. Für einen Moment schaute er auf die Pflanzen, unter deren schweren Blüten die Figur verborgen war. »Camila. Das letzte Opfer hat noch gelebt, als es zu einem Rad gebunden und aufgehängt wurde. Damit das möglich war, wurden ihm vorher die Knochen gebrochen. Dann hat der Mörder ihm

Schnittwunden beigebracht. Der Mann ist langsam ausgeblutet. Auch dem ersten Opfer wurden die Verletzungen vor seinem Tod zugefügt und er hat danach noch einige Stunden qualvoll gelebt. Ich glaube wirklich nicht, dass Sie das getan haben, aber ich bin sicher, Sie verschweigen mir etwas. Mein Gott, Camila, hier geht es um Mord!« Er fuhr fort, bevor sie etwas sagen konnte. »Sie hatten mit beiden Männern kurz vor ihrem Tod zu tun, mit einem sogar einen heftigen Streit, und in der ersten Leiche habe ich Ihre Skulptur erkannt. Ich würde mich nicht wundern, wenn dieses entsetzliche Rad auch von einem Ihrer Werke inspiriert wäre.« Der Comisario sah Camila an, bis sie die Augen abwandte. Dann nickte er wortlos in die Runde und ging.

»So ähnlich sehe ich das auch«, platze Klara in das Schweigen, als Sànchez vom Hof gefahren war.

»Egal, was ihr offenbar alle glaubt: Ich weiß nichts über die Morde.«

Klara trank ihren Kaffee aus, stellte die Tasse auf den Tisch und stand auf. »Dann ist wohl alles gesagt.«

* * *

»Grundsätzlich ist jeder zu einem Mord fähig. Aber hier bin ich sicher, dass nicht Camila dieses Gemetzel angerichtet hat. Das wäre viel zu trivial.« Durch die Datteln mit Speck in ihrem Mund klang Janes Stimme gedämpft. Sie saß mit Klara auf dem Balkon ihres Hotelzimmers. Vor ihnen standen Schüsseln voller Essen, das für die Einweihungsfeier gedacht war und sich nicht zum Aufbewahren oder Einfrieren eignete. Direkt unter dem Balkon schwappte das Meer leise an die Felsen, auf denen das Hotel thronte.

»Vor allem hätte sie die Leiche bestimmt nicht in deiner Bar und dann auch noch am Tag der Party aufgehängt.«

»Sie wäre auch nicht so blöd, mit einer ihrer bekanntesten Skulpturen den Verdacht auf sich selbst zu lenken.« Klara stellte überrascht fest, dass ihr Appetit zurückgekommen war, und biss in ein leicht schlaffes *churro*.

»Es sei denn, sie will entdeckt werden. Es gibt doch auch diese Mörder, die bewusst ihre Spuren auslegen. Irgendeine derbe Macke hat Camila jedenfalls. Auch wenn ihr alle ständig den Frohsinn ihrer Skulpturen betont, finde ich sie ziemlich morbide und grausig. Hast du dich schon mal gefragt, was dahinter steckt?« Jane goss ihnen Rioja nach.

»Ich versuche grundsätzlich, meine Freunde nicht zu analysieren.«

»Aber wenn es um Mord geht, wäre es vielleicht ganz hilfreich.«

»Es bringt doch nichts, einfach ins Blaue hinein zu spekulieren. Camila sagt, die Bilder tauchen einfach in ihrem Kopf auf. Wahrscheinlich stecken dahinter jede Menge Aggression, Traurigkeit und was weiß ich noch. Aber um mehr dazu zu sagen, müsste ich mit Camila reden.«

»Zumindest die Aggressionen scheinen in der letzten Zeit mit ihr durchzugehen.«

»Ich halte es für absurd, dass Camila zur Mörderin wird. Erst mal sowieso, und außerdem hat sie durch ihre Kreativität einen Weg gefunden, ihren persönlichen Horror zu verarbeiten, und hinter diesen Morden würde ich jemanden vermuten, der seinen Affekten hilflos ausgeliefert ist.«

»Was sie nach deiner These durchaus verdächtig macht, weil sie seit längerer Zeit ja nicht kreativ arbeiten kann.« Jane sah zweifelnd drein.

»Tja, der Gedanke ist mir auch schon gekommen. Und dann sind da noch die Skizzen, die Sammy gefunden hat …«

»Also, ich fasse mal zusammen, was wir bis jetzt haben. Erstens: Camila hat sich seit einiger Zeit verändert, ist Männern gegenüber, die sie belästigen, aggressiv bis gewalttätig geworden. Zwei solcher Männer sind ermordet worden. Einen kannte sie vielleicht sogar mit Namen, den anderen definitiv nicht. Den Exhibitionisten hätte sie zwar kaum in ein paar Stunden ausfindig machen können, aber vielleicht ist sie ihm zufällig in der Stadt über den Weg gelaufen. Zweitens …« Jane hob Daumen und Zeigefinger und fuhr fort. »Mit beiden Leichen wurden Skulpturen von ihr nachgebildet. Aber ich finde, das spricht eher gegen sie als Täterin. Wenn sie für ihre Arbeit plötzlich menschliche Körper statt Beton nehmen würde, würde sie sich doch wohl kaum selbst kopieren, sondern neue Motive schaffen, oder? Drittens: Wir trauen ihr weder die Dummheit noch die Gemeinheit zu, die Leiche bei dir aufzuhängen.«

»Ich finde, die Schlüsselfrage ist: Warum ist sie seit einiger Zeit so verändert?« Klara warf die letzte Ecke ihres *churros* einer Möwe zu, die sie im Flug fing.

»Was, denkst du als Fachfrau, könnte so eine Veränderung verursachen?« Jane warf den Weinkorken nach der Möwe, die nach der Fütterung dreist über ihrem Tisch gekreist war und jetzt kreischend weiterflog.

»Keine Ahnung. Daraus kann man jede Menge Schlüsse ziehen. Zum Beispiel irgendetwas, das sie erlebt hat, eine uralte Erinnerung, die plötzlich hochgekommen ist … Weißt du, ob die Polizei andere Verdächtige hat?«

»Bis heute Morgen nicht. Ich sehe noch mal nach.« Jane stand auf, ging ins Zimmer und machte sich an einem der Computer zu schaffen. In weniger als einer Minute erschien eine Datei auf dem Monitor. Zügig drückte sie einige Tasten, und ein Drucker spuckte geräuschlos mehrere bedruckte Seiten aus. Auf dem Weg zum Balkon überflog sie den Text und reichte Klara die Blätter. »Nichts Neues. Keine weiteren Verdächtigen, aber wenigstens führt die Polizei Camila nicht offiziell als Tatverdächtige.«

Klara legte die Blätter zur Seite und beobachtete einen Kormoran, der im Sturzflug ins Wasser tauchte. »Bis jetzt nicht. Aber vielleicht beim nächsten Mord. Einer kann Zufall sein, zwei sind der Beginn einer Serie.«

* * *

Klara saß in kurzen Sporthosen auf der obersten Treppenstufe an der Klippe und beobachtete, wie die Sonne hinter einer schmalen Wolkenbank im Meer versank. Leise Klänge eines Saxophons zogen vom Ufer herauf.

»Ich habe dich gesucht. Willst du allein sein?«, fragte Gil leise hinter ihr. Die untergehende Sonne tauchte ihn in rotes Licht. Statt einer Antwort klopfte Klara einladend auf den Boden neben sich und reichte ihm ihr Glas.

»Ich muss mit jemandem reden, Klara.«

»Fang an!«

»Ich weiß nicht weiter. Camila war in beiden Mordnächten nicht zu Hause.«

»Das überrascht mich jetzt nicht.«

»Warum? Hältst du sie für die Mörderin?«

»Absolut nicht. Aber deine Erklärung Sànchez gegenüber war völlig unglaubwürdig.«

»Ich weiß, viel zu überzogen. Diese verfluchten Morde! Als wäre nicht so schon alles schlimm genug. Meine Ehe geht vor die Hunde, Klara. Ich habe keine Ahnung, warum, und ich kann nichts dagegen tun. Ich hatte sogar schon überlegt, ob sie einen anderen kennen gelernt hat, aber das glaube ich nicht. Und trotzdem ...«

Auch wenn sie Gil sehr gern hatte, verspürte Klara nicht zum ersten Mal das Bedürfnis, ihn ins Wasser zu stecken, bis der Weichspüler abgewaschen war. Aber vielleicht war er wirklich so freundlich, geduldig und verständnisvoll. Sie erinnerte sich an den peinlichen Moment vor Camilas Schlafzimmertür. »Läuft bei euch denn gar nichts mehr? Oder lässt Camila sich nur selbst nicht mehr anfassen?«

Überrascht blickte Gil sie an. »Du bist verdammt gut! Du solltest unbedingt weiterarbeiten. Genau das ist ja das Erschreckende mit Camila. Es gefällt ihr hin und wieder, wenn sie mich wie auch immer befriedigt, aber ich darf sie nicht berühren. In den ersten Wochen fand ich das nur seltsam. Ich dachte, sie probiert mal was Neues aus oder so.«

Klara versuchte sich vorzustellen, wie es war, nur mit einem einzigen Menschen im Leben Sex zu haben. Camila und Gil hatten schon in der Schule ihre Mitschüler damit beschäftigt, ihre Liebesbriefchen weiterzureichen. Soweit sie wusste, waren sie sich immer treu gewesen.

Der Saxophonist spielte jetzt »Ain't no sunshine, when she's gone«. Jans Gesicht tauchte in Klaras Bewusstsein auf, aber sie schaffte es gerade noch rechtzeitig, das Bild zu verdrängen. Ihr Schmerz hatte sich eine Zeit lang nicht bemerkbar gemacht, aber sie wusste, irgendwann, wenn sie unaufmerksam war, würde er unvermittelt explodieren. Mit Mühe zwang sie ihre Gedanken zurück zu Gil und Camila. »Auf die Idee, dass sie überfallen worden sein könnte, oder so was in der Art, bist du bestimmt auch schon gekommen, oder?«

»Sicher. Sie hat sich schließlich ganz abrupt verändert. Vor gut einem halben Jahr war ich auf einer Tagung in Madrid. Als ich wiederkam, war es, als hätte jemand meine Frau ausgetauscht.« Gil brach ab und trank einen Schluck. »Ich habe sie immer wieder gefragt, was passiert ist, aber sie sagt: nichts. Gar nichts. Ihr altes Outfit wäre ihr einfach langweilig geworden.« Er seufzte. »Aber warum sollte sie verschweigen, wenn sie überfallen … vielleicht vergewaltigt worden wäre? Einiges passt doch auch absolut nicht dazu. Dass sie sich seitdem so aufreizend anzieht, eigentlich hat sie sogar mehr Interesse an Sex, nur … na ja, du weißt schon, anders eben.« Gedankenverloren leerte Gil das Glas.

»Ist dir nach den Morden irgendetwas aufgefallen?«

»Nein. Aber ich habe seitdem jeden Tag mehr Angst. Irgendwie geht es dabei um Camila, glaube ich. Ich meine, wenn sie die Männer nicht getötet hat, wer dann? Und was will der Mörder von meiner Frau?«

»Ich fürchte, um das zu beantworten, brauchen wir Camila.«

* * *

Die Bar sah aus, als hätte eine Schar Kinder auf einer Kohlenhalde gespielt und sei dann über den Raum hergefallen. Alle glatten Oberflächen – Scheiben, Computer, Türklinken und Tresen – waren mit dem feinen Pulver eingestäubt, das die Spurensuche verwendet hatte, um Fingerabdrücke sichtbar zu machen. In der Mitte des Raumes waren die Bodenplanken mit einer dunkelroten Masse überkrustet.

Klara verzichtete auf einen weiteren Rundgang und schloss die Tür hinter sich. Mit der Reinigung würde sie beginnen, sobald Luis die Bohlen ausgewechselt hatte. Sie wollte weder das Blut vom Fußboden kratzen noch darum herum putzen.

Über Nacht war das Wetter umgeschlagen. Der Himmel war grau, über allem lag ein Dunstschleier. In einzelnen Böen peitschte der Wind über den Strand und wehte Plastikflaschen und Papiertüten vor sich her.

Klara beschloss, Brot zu kaufen und Camila zum Frühstück zu überraschen. Auf der Fahrt zur Finca setzte Nieselregen ein und verschmierte den Staub auf der Windschutzscheibe. Wie immer war der Behälter mit dem Spritzwasser leer. Als Klara vor Camilas Finca parkte, riss der Himmel auf, und Sonnenflecken auf den Blumen und Sträuchern machten die Landschaft wieder lebendig.

Camilas Mini stand in der Einfahrt, die Läden vor dem Schlafzimmerfenster waren geöffnet. Als Klara den eisernen Klopfer gegen die Tür fallen ließ, hallte das Geräusch durchs Haus, aber niemand öffnete. Trotz der Erinnerung an ihre letzten Überraschungsbesuche ging Klara um die Finca herum. Auf dem Gartentisch standen ein unberührter Teller und eine Kaffeekanne, aus dem Wohnzimmer dudelte das Radio und mischte sich mit einem merkwürdigen Klackern.

»Camila?« Klara betrat langsam das Wohnzimmer und blickte in die angrenzende Küche. »Sammy?«

Auf dem Herd stand ein Topf, in dem aufgeplatzte Eier in einer Pfütze kochenden Wassers klapperten. Klara stellte die Flamme aus und ging in den Flur. Die Schlafzimmertür war geschlossen.

»Camila?« Vorsichtig klopfte sie an, aber hinter der Tür blieb alles still. Ihre Sorge siegte über die Bedenken, wieder in eine peinliche Situation zu geraten. Langsam öffnete Klara die Tür. Wie ein verängstigtes Kind hockte Camila in der Nische zwischen dem Kleiderschrank und der Wand. Mit der Hand umklammerte sie einen Kleiderbügel. In ihren Augen lag unverhüllte Angst. Als sie Klara erkannte, ließ sie den Kopf wieder sinken und regte sich nicht.

»Um Himmels willen, was ist passiert?« Klara hockte sich neben sie. Vor dem Schlafzimmerfenster lagen ein zerbrochener Blumentopf und Erde auf dem Boden. Vorsichtig berührte Klara Camilas Schulter. »Was ist mit dir?«

»Er hat es wieder getan«, antwortete Camila tonlos.

»Wer hat was wieder getan?«

»Er hat mir eine Rose aufs Fensterbrett gelegt.«

»Wer?«

»Ich weiß es doch nicht!« Camilas Stimme ließ Klara an einen Zug kurz vor dem Entgleisen denken. »Seit Monaten legt mir jemand Rosen vors Haus. Er hat mich die ganze Zeit beobachtet.« Camila zitterte.

»Wieso hast du das keinem erzählt?«

»Ich war sicher, dass es vorbei ist.« Sie hob den Kopf. »Außerdem – Gil hat doch alles mitbekommen, aber als harmlos abgetan, hat jedes Mal gesagt, dass es Touristen oder Kinder wären.« Camila lachte verächtlich auf.

»Und woher weißt du, dass das Geschenke an dich sein sollten?«

»Ich weiß es eben.« Camilas Stimme hatte wieder den frostigen Ton angenommen, den Klara mittlerweile kannte und fürchtete.

»Wann hat das Ganze angefangen?«

»Die erste Rose habe ich vor einem Jahr bekommen. Aber ich habe keine Ahnung, seit wann er mich schon beobachtet.«

»Was ist an dem Wochenende passiert, als Gil auf der Tagung war?«

Camila blickte Klara mit hochgezogenen Brauen an.

»Oh, anscheinend hat Gil dir sein Herz ausgeschüttet. Nichts war. Ich war beim Friseur. Und – lass mich nachdenken – ach ja, ich habe auch ein paar neue Kleider gekauft.«

Klara verdrehte genervt die Augen. »Hör auf mit dem Mist! Du musst mit Sànchez reden. Ist dir klar, dass dein Fan der Mörder sein kann?«

Camila sprang auf. »Meinst du, ich bin blöd? Ich habe Angst, dass diese Leichen auch eine Art Geschenke sein sollen. Aber ich will nichts damit zu tun haben.« Ihre Augen waren dunkel, die Wimpern feucht.

»Hast du aber. Wenn Gil nicht für dich lügen würde und Sànchez nicht ein Freund wäre, würdest du vermutlich gar nicht mehr hier sitzen. Mein Gott, es läuft vielleicht ein Verrückter rum, der dir zu Ehren Männer abschlachtet, und du verlierst kein Wort darüber!« Klaras Stimme wurde mit jedem Wort lauter. Sie war sicher, dass Camila nicht die ganze Wahrheit sagte. »Ich verstehe nicht, warum du mir nichts davon erzählt hast. Oder Sànchez.«

»Wozu? Jetzt weißt du es. Und? Sànchez werde ich es schon noch erzählen, aber das bringt ihn doch nicht näher an den Mörder. Wie stellst du dir das vor? Er lässt mich rund um die Uhr beschatten, und wenn in zwei Monaten jemand mit einer Rose im Garten steht, hat er den Mörder?« Camila verzog spöttisch den Mund.

»Du kannst alle anderen belügen, aber vergiss nicht, dass ich dich kenne. Was ist an dem Wochenende passiert, als Gil weg war?«

»Was soll das? Du steigerst dich mit diesem verfluchten Wochenende in etwas hinein! Sicher, du musst ja immer überall stochern, bohren, analysieren. Aber da war nichts. Nichts, nichts, nichts! Kapier das endlich!« Plötzlich klappte Camila zusammen und rutschte mit dem Rücken an der Wand hinunter. Mit den Händen bedeckte sie ihr Gesicht, ihre Schultern zuckten wie bei einer Marionette, an deren Fäden gezogen wurde. »Geh endlich weg!«

Klaras Ärger verflog. Sie streckte hilflos die Hand nach ihrer Freundin aus, ließ sie dann aber wieder sinken und ging.

* * *

»Rosen? Und deshalb diese ganze Geheimniskrämerei? Camila ist mir zurzeit ein einziges Rätsel. Aber auf die Morde wirft das ein neues Licht. Hoffentlich erzählt sie es wirklich bald Sànchez.« Jane wischte über den Tresen in der Bar, spülte den Lappen aus und nickte zufrieden, als das Wasser klar blieb. »Ich habe im Internet über Morde recherchiert, mit denen künstlerische Werke nachgestellt wurden, aber keine Parallelen gefunden, nicht in den letzten zwanzig Jahren und nicht in Spanien. Ich fahre jetzt nach Hause und lasse das mit den Rosen auch noch durchlaufen. Vielleicht macht er das ja nicht zum ersten Mal.« Jane setzte ihre Sonnenbrille und einen breitkrempigen schwarzen Strohhut auf.

Nachdem sie gegangen war, lief Klara unruhig durch die Räume und wischte noch einmal über alle Flächen. Die neuen Fußbodenbretter waren zwei Töne heller als die alten, aber sonst erinnerte nichts mehr im Raum an den Mord. Insgesamt war alles sehr puristisch, keine Pflanze, keine Kerze, nur Stühle, Tische und Regale voller Flaschen. Klara konnte sich kaum vorstellen, dass sie hier einen Toten gefunden hatte. Sie zog ihre verschwitzte Arbeitskleidung aus und schlüpfte in die ausgebeulten Baumwollhosen, die sie in ihrer Zeit mit Jan tief im Schrank vergraben hatte, streifte ihre Turnschuhe über, bei denen sich eine Sohle mittlerweile fast komplett gelöst hatte, und ging hinaus.

Wie am Abend üblich war der Strand menschenleer, nur am Rand des Wassers näherte sich ein Mann. Klara war fast sicher, Mateo zu erkennen.

Was zum Teufel störte sie eigentlich an ihm? Er sah nicht übel aus, auch wenn er der Typ spanischer Macho war, für den sie sich noch nie begeistern konnte. Außerdem war er freundlich, aufmerksam und unaufdringlich.

Sie schloss die Tür hinter sich ab, lief zügig in Richtung Klippen über den Strand und hoffte, dass Mateo ihr nicht folgen würde. Nichts von dem, was er tat, war falsch, aber er tat es auf die falsche Art. Wenn sie ihn ansah, war es, als würde sie in weiche Butter greifen.

Hinter sich hörte sie ein Keuchen. Sie drehte sich um. Mateo.

»Du bist ja verdammt schnell«, rief er. Sein Gesicht war rot, seine Haare klebten am Kopf wie gegelt. »Hallo, du Leichenmagnet.«

»Wirklich witzig!« Klara lief weiter.

»Sorry, war nicht böse gemeint.« Mateo hielt mit ihr Schritt, aber auf seinem Hemd zeichneten sich keilförmige Schweißflecken ab. »Ich habe heute in der Stadt die Zettel mit der neuen Einladung zur Eröffnung gesehen. Deine Leute waren fleißig. Ich glaube, es gibt niemanden in ganz Conil, der es geschafft hat, ihnen aus dem Weg zu gehen. Aber der Mord hat wohl sowieso schon für genug Publicity gesorgt.«

Klara blieb stehen. Da war etwas in seinem Ton, das Klara veranlasste, ihn aufmerksamer anzusehen. Sein Gesichtsausdruck war offen und heiter, doch in seinen Augen fand sie kein Lachen.

»Ich kann leider nicht kommen, aber heute Abend ist

ein Jazzkonzert in Cádiz. Ich würde dich gern einladen.«

»Nicht heute Abend. Ich freu mich schon den ganzen Tag auf ein kühles Bad und ein gutes Buch.«

Mateo schüttelte bedauernd den Kopf. Sein Geruch stieg ihr süß und klebrig in die Nase. Klara fühlte sich plötzlich elend und wollte allein sein. »Mach's gut, Mateo. Ich sehe zu, dass ich in die Wanne komme. Ich ruf dich an.«

Er verabschiedete sich, recht kühl, wie Klara fand. Vielleicht hatte er es begriffen. Erleichtert kletterte sie die Treppe hinauf. Sobald sie die Wiese vor ihrem Haus erreicht hatte, streifte sie die Schuhe ab, knöpfte im Gehen ihre Bluse auf und ließ mit ausgebreiteten Armen den warmen Wind über ihre feuchte Haut streichen.

Auf ihrer Terrasse lag ein Mann im Anzug ausgestreckt in einem Liegestuhl, die Arme unter dem Kopf verschränkt und die Augen geschlossen. Klara sah in ihrer Phantasie den Toten am Strand vor sich. Hatte der Mörder ihr schon wieder eine Leiche zukommen lassen? Ihre eigene Rolle bei den Morden hatte sie noch gar nicht recht hinterfragt. Unwillkürlich suchte sie nach Blut auf dem weißen Hemd oder den Polstern des Stuhls. Da erkannte sie Martínez. Er schnarchte leise auf. Seufzend verschloss Klara ihre Bluse. Obwohl sie Überraschungsbesuche von Fremden hasste, war es immer noch besser als eine Leiche auf der Terrasse.

Martínez' dunkler Anzug deutete auf einen offiziellen Anlass für seine Anwesenheit hin. Die Jacke lag über der Armlehne, die Krawatte hing mit gelockertem Knoten wie eine Kette um seinen Hals.

»Señor Martínez?«

Erschrocken fuhr er zusammen, setzte sich langsam auf

und blickte benommen um sich. »Señora Keitz! Entschuldigen Sie, ich muss eingeschlafen sein.« Er starrte ungläubig auf seine Armbanduhr. »Was? Acht? Heute Nachmittag hatte ich einen Termin bei Señora Cabrera Gómez, und ich dachte, wo ich schon mal da bin … Eigentlich wollte ich mich nur fünf Minuten setzen …« Seine teure, konservative Kleidung passte nicht recht zu seinem verwirrten Gesichtsausdruck und dem zerzausten Haar.

Klara verzichtete auf die üblichen Floskeln. »Ich werde mich jetzt hinsetzen, meine alten Klamotten anbehalten, ein Glas Wein trinken, aufs Meer gucken und keinerlei Konversation machen. Sie können mir dabei Gesellschaft leisten oder gehen.«

»Dann nehme ich den Wein.«

»Haben Sie schon etwas gegessen?« Kaum war ihr die Frage herausgerutscht, biss sie sich ärgerlich auf die Lippen.

Martínez zuckte die Schultern und lächelte. »Ich esse später.«

In der Küche öffnete Klara den Wein, legte ein Stück Brot auf ein Tablett und stellte ein Schälchen mit Oliven und eins mit Aioli dazu. Als sie in den Garten zurückkam, kniete Martínez mit aufgekrempelten Ärmeln vor den Töpfen mit dem verwelkten Lavendel. Die Pflanzen waren knochentrocken, die Erde klumpig und mit einem weißlichen Belag überzogen. Martínez knickte einen dürren Zweig ab und prüfte die Feuchtigkeit des Holzes.

»Die können Sie noch wiederbeleben.« Er stand auf und klopfte den Staub von seinen Knien.

»Genau das will ich gar nicht.«

»Oh. Schade. Ich mag Lavendel.«

»Dann nehmen Sie ihn mit!«

»Gern. Mein Garten ist voll von verwaisten Pflanzen,

für die hier ist auch noch Platz. Man muss sie nur ganz zurückschneiden, alles Vertrocknete entfernen, dann treiben sie im nächsten Jahr wieder aus«, erklärte er ernsthaft.

»Vielleicht wären Sie besser Gärtner geworden.«

»Ein Relikt aus meiner Kindheit. Meine Eltern waren Bauern in einem Dorf bei Córdoba.«

Am Horizont zog langsam, wie aus einem früheren Jahrhundert, ein riesiges Segelschiff in Richtung Tarifa vorbei. Klara dachte an Jan. Kaum sechzig Kilometer entfernt …

»Langsam bekomme ich Hunger. Es gibt ein Restaurant, ganz oben in einem der Miradores von Cádiz. Haben Sie Lust mitzukommen?«, platzte Martínez in Klaras Gedanken.

Ohne nachzudenken sagte sie zu.

»Dann lassen Sie uns fahren!« Er griff nach seinem Jackett.

Klara sah an sich hinunter. »Ich muss mich umziehen.«

»Ich dachte, Sie wollten heute Ihre alten Klamotten nicht mehr ausziehen.«

»Ja, aber …« Sie zupfte am ausgeleierten Bündchen ihrer Hose und zeigte auf seinen Anzug. Martínez hob zwei Lavendelkübel auf seine Arme und deutete mit dem Kinn auf die restlichen. »Sie sehen bestens aus. Nehmen Sie auch einen Topf?«

*　*　*

»Wer wurde überfallen?« Mit dem Telefonhörer am Ohr wühlte Klara sich aus den feuchten Laken und schlurfte zur offenen Terrassentür.

Das Meer war ruhig, und die Morgensonne streute kleine glitzernde Sterne über das Wasser. Klara blinzelte ins Licht. Das letzte Glas Rioja, das sie am Strand getrunken hatten, war zu viel gewesen. Klara dachte an andere Abende. Es war lange her, dass sie die halbe Nacht mit einem Mann verbracht hatte, der nicht genug von ihren Worten, ihren Gedanken bekommen konnte so wie gestern Martínez.

»Hörst du überhaupt nicht zu?« Jane am anderen Ende klang ungeduldig. »Also, noch mal: Vor gut vier Jahren hat eine junge Frau in Jerez Anzeige wegen Vergewaltigung erstattet. Ein Unbekannter sei in ihre Wohnung eingedrungen und habe sie vergewaltigt. In den Wochen vorher hat ihr angeblich irgendjemand immer wieder Rosen vor die Tür gelegt.«

Klara tappte ins Wohnzimmer und suchte ihre Sonnenbrille. »Und, haben sie ihn gekriegt?«

»Nein. Sie konnte ihn nicht identifizieren. Ich habe auch den Eindruck, dass die Polizei sie nicht besonders ernst genommen hat.«

»Und wie siehst du das?«

»Ich denke, wir könnten mal versuchen, mit der Frau zu reden. Sie wohnt in Jerez.«

»Okay.« Klara gähnte.

»Ich bin in einer Stunde bei dir.« Jane legte auf.

Klara duschte ausgiebig. Der Wasserdampf umnebelte ihren Körper. Sie dachte an die Rosen. Vor zwei Jahren hatte sie selbst ein paarmal Blumen vor ihrer Tür gefunden. Es hatte sich nie geklärt, von wem. Eine Weile später, zum Valentinstag, hatte ihr jemand weiße Tulpen vor die Tür gelegt. Danach war kein anonymer Liebesgruß mehr gekommen. Angst hatte ihr das nicht gemacht. Auch Camila neigte nicht zu übertriebenen Ängsten. Klara war sich sicher, dass noch mehr hinter der Rosengeschichte steckte.

Der Spiegel war beschlagen. Klara wischte ihn mit dem Handballen ab. Das Gesicht, das ihr entgegenstarrte, sah müde aus. In der letzten Zeit hatte sie weder anständig gegessen noch geschlafen und war undiszipliniert im Umgang mit Alkohol. Das alles zeigte jetzt seine Spuren. Seufzend verteilte sie eine dicke Schicht Creme auf der Haut und griff nach ihren Jeans. Es hatte auch Vorteile, dass die Morde ihr Leben durcheinander brachten. Zumindest hatte sie keine Zeit, unablässig über ihr verpfuschtes Liebesleben zu grübeln.

Die Terrasse wirkte kahl ohne den Lavendel. Sein Fehlen erinnerte Klara genauso an Jan wie die Blumenkübel selbst. Sie zog die Haustür hinter sich ins Schloss und ging an der Finca vorbei zur Einfahrt. Die Fensterläden waren geöffnet, aber die Vorhänge vor den Fenstern und Glastüren zugezogen.

Schnittig bog Jane um die Ecke. Hinter dem Steuer ihres khakifarbenen, staubigen Jeeps und mit einer riesigen Sonnenbrille, weißem Kleid und einem Tuch, das sie um Kopf und Hals geschlungen hatte, sah sie wie einem Sechzigerjahre-Film entsprungen aus.

»Kaffee?« Jane zeigte auf einen Pappbecher mit Plastikdeckel im Getränkehalter. »Ich habe dir ein paar *churros* zum Frühstück mitgebracht.« Sie deutete auf den Rücksitz, wo eine weiße Papiertüte lag.

Klara pustete in den Kaffeebecher. Dampf stieg auf und beschlug ihre Sonnenbrille. »Ich habe nachgedacht.«

»Gut.«

»Es gibt noch eine Gemeinsamkeit zwischen den beiden Morden: mich. Vielleicht habe ich auch eine Rolle in der ganzen Choreographie.«

Jane machte einen fragenden Laut.

»Na ja, ich habe schließlich beide Leichen gefunden. Das erste Mal könnte noch Zufall gewesen sein, aber die zweite Leiche war ganz gezielt bei mir aufgehängt.« Klara biss in ein heißes Gebäckstück und hielt Jane den Rest hin. »Auch mal?«

Jane schüttelte den Kopf. »Was wäre denn, wenn's schon beim ersten Mal kein Zufall war? Immerhin lag der Tote auf deinem Heimweg. Falls der Mord eine Hommage an Camila sein sollte, hätte es gar nichts genützt, wenn irgendein Tourist über die Leiche gestolpert wäre. Wäre Camila nicht durch dich mit dem Mord in Verbindung gebracht worden, hätte wahrscheinlich gar keiner bemerkt, wie schön der Mörder den Toten ausgelegt hat.«

»Aber der Mörder kann nicht geplant haben, dass ich die Leiche finde. Dann hätte er sie nicht so versteckt. Vom Strand aus war sie kaum zu sehen. Wenn Mateo nichts aufgefallen wäre, hätte sie wahrscheinlich dort gelegen, bis sie gestunken hätte.«

Jane zuckte die Achseln. »Aber sie ist ihm aufgefallen, oder?«

* * *

»Es war zu dunkel.« Violeta Jardiel war blass wie die Sahne in dem Porzellankännchen. Sie rückte die Glasschale mit den getrockneten Blüten, die dekorativ auf dem Tisch stand, beiseite und rührte zum dritten Mal den Inhalt ihrer Kaffeetasse um. Der schwere Knoten, zu dem sie ihre dunklen Haare auf dem Kopf geschlungen hatte, schien sie niederzudrücken.

Ihre Worte plätscherten an Klara vorbei. Sie war enttäuscht. Das Gespräch hatte sie nicht weitergebracht. Was hatte sie eigentlich erwartet? Den Namen des Mörders?

Jane hatte Violeta Jardiel von Camila, den Rosen und den Morden erzählt. Danach war sie bereit gewesen, mit ihnen über ihre Erlebnisse vor vier Jahren zu sprechen.

Stockend hatte sie angefangen zu erzählen. Von ihrem früheren Leben in dem Haus in Zahara de la Sierra, das sie von ihrer Großmutter geerbt hatte, Freunden, die ein und aus gingen, ihrer Sorglosigkeit und stets unverschlossenen Türen, bis eines Nachts der Mann in ihrem Schlafzimmer gestanden hatte. Dass sie die Rosen, die vorher in unregelmäßigen Abständen vor ihrer Tür gelegen hatten, lediglich als Präsente eines schüchternen Bewunderers gesehen und nicht weiter beachtet hatte.

Unauffällig rückte Klara ihren Korbstuhl zurecht und blickte sich um. Aquarelle von sonnigen Küsten zierten die Wände. Zwei Schlösser sicherten die schwere Haustür. Wie in Andalusien üblich, waren die hohen Fenster vergittert und warfen harte Schatten auf den cremefarbenen Teppichboden. Er sah nicht aus, als hätte er je eine Party gesehen.

»Können Sie sich an irgendetwas Besonderes erinnern, bevor die erste Rose kam?« Jane gab noch nicht auf und stellte die obligatorischen Fragen.

»Nein«, sagte Violeta tonlos.

Durch das geöffnete Fenster, das eine Aussicht auf einen begrünten Innenhof bot, klang Kindergeschrei.

»Ist später, nach dem Überfall, noch irgendetwas Ungewöhnliches passiert?«

Violeta Jardiel antwortete nicht und starrte aus dem Fenster. Im Gegenlicht war ihre Gestalt ein schwarzer Schatten vor dem vergitterten Fenster. »Nein.«

»Kennen Sie vielleicht Doctor Mateo Silva?«

»Nein.«

Jane zog eine Visitenkarte aus einem silbernen Etui und legte sie auf den Tisch. »Vielen Dank, Señora Jardiel. Wenn Ihnen noch etwas einfällt, rufen Sie mich an!«

Auf der baumlosen Straße drehte Klara sich noch einmal um und betrachtete das weiß gekalkte Haus. Auf den Balkonen flatterte bunte Wäsche in Sonne und Wind. Es war eines dieser prachtvoll renovierten Mietshäuser in der Nähe der Plaza del Arenal. Die Calle Argote de Molina kam ihr wie eine Bühne vor, die massigen Altbauten rechts und links bildeten die Kulissen. Hinter ihren klaren, abweisenden Mauern spielte sich das Leben in den fast tropisch grünen Innenhöfen ab. Ein Motorrad röhrte an ihnen vorbei.

Klara war erstaunt, dass Violeta Jardiel sich für eine Wohnung im denkmalgeschützten Ortskern entschieden hatte – bei Tag ein Viertel mit viel Lokalkolorit, dessen Straßen aber abends schon früh wie ausgestorben waren. Die meisten jungen Leute wohnten in den neueren Vierteln, die an die Altstadt grenzten.

»Das hätten wir uns sparen können. Ich war übrigens etwas enttäuscht von dir. Du hast dich wie ein Privatdetektiv in einem B-Movie angehört.«

»Dann setze ich noch einen drauf: Ich glaube, sie verschweigt etwas.«

* * *

Camila wartete auf der Terrasse. Als sie Klara sah, stand sie auf und ging ihr entgegen. »Kommst du mit zum Meer?«, fragte sie statt einer Begrüßung. Sie war blass, ihre Augen waren glasig und rot gerändert. Schweigend gingen sie nebeneinander. Ihre Schritte knirschten auf dem Schotter. Die Bäume wiegten sich leise flüsternd, als teilten sie ihre dunklen Geheimnisse, und der Wind trug das Geräusch der Brandung die Felsen hinauf. Die Luft war rein und salzig.

Am Klippenrand blieb Camila stehen und versteckte

ihre zitternden Hände unter den Achseln. Sie schwankte leicht, als sie sich zu Klara umwandte. »Er hat Sammy einen Farbkasten geschenkt.«

»Tu mir einen Gefallen und komm ein Stückchen vom Abhang weg. Redest du von dem Mann, der dir die Rosen geschenkt hat?« Klara streckte die Hand aus und zog Camila näher zu sich heran.

»Und von dem, der vermutlich die beiden Männer ermordet hat. Ja.« Das Zittern ließ Camilas Arme von den Schultern abwärts beben.

»Wo war der Farbkasten?« Klara spürte ein Prickeln auf der Haut, das von den Haarwurzeln abwärts floss.

»Er lag vor Sammys Zimmertür, als wir vom Einkaufen zurückgekommen sind.«

»Das heißt, er war im Haus!« Klara lehnte sich an einen Felsen und schloss die Augen, in ihrem Kopf ein Summen.

»Das ist tagsüber nicht schwierig. Diese ganzen Fenstertüren, wie willst du da abschließen? Du weißt doch selbst, wie das ist. Wenn ich Gil nicht alles erklären will, kann ich nicht plötzlich anfangen, ständig mit dem Schlüssel durchs Haus zu laufen und an allen Türen zu rütteln.«

Klara fasste Camila an den Schultern und schüttelte sie. »Bist du komplett wahnsinnig? Du musst sofort die Polizei anrufen. Ist dir eigentlich klar, dass, wenn du Recht hast, ein Mörder in eurem Haus herumläuft? Vor der Tür deiner Tochter steht? Als Nächstes vielleicht hineingeht?«

»Meinst du, ich weiß das nicht? Aber glaubst du wirklich, dass verschlossene Türen ihn aufhalten würden? Er kann überall auf uns warten, wenn er uns haben will. Begreifst du nicht, dass wir nicht weglaufen können? Was soll die Polizei denn machen? Uns rund um die Uhr Personenschutz geben? Das Einzige, was bleibt, ist, ihn irgendwie aufzuhalten. Sammy denkt, dass ich ihr die Farben geschenkt habe. Ich habe ihr bis jetzt nichts gesagt, weil ich ihr keine Angst einjagen will. Aber sie muss es wissen, damit sie vorsichtig ist. Am liebsten würde ich sie nicht mehr allein aus dem Haus lassen.«

»Bis der Mörder gefunden ist, wäre das auch besser. Wenn du dafür sorgst, dass er nicht mehr bei euch ein und aus gehen kann.« Klara zögerte. »Kann Gil nicht kurz aus der Praxis nach Hause gekommen sein und Sammy die Farben als Überraschung vor ihr Zimmer gelegt haben?«

»Nein, ich habe in der Praxis angerufen. Gil war die ganze Zeit dort. Es war diese Bestie. Ich weiß es, ich kann ihn förmlich riechen, als würde er bei jedem Schritt in meine Welt seinen Gestank hinterlassen. Aber ich muss noch über etwas anderes mit dir reden.« Camilas Zittern ebbte ab zu einem schwachen Beben. »Versprich mir, dass du Gil nicht erzählst, was ich dir jetzt sage. Keinem. Egal, was passiert.«

Klara lächelte mit einem Mundwinkel. »Versprochen.«

Über Camilas Augen senkte sich ein Schleier. »Ich habe geglaubt, dass es nur mich etwas angeht. Aber jetzt zieht dieser Wahnsinnige auch noch Sammy mit hinein.« Sie ging wieder näher an die Klippe, dort blieb sie still stehen. Klara stellte sich schweigend zu ihr.

»Dieses Wochenende, nach dem du gefragt hast … Es ist wirklich etwas passiert. Mitten in der Nacht bin ich wach geworden. Jemand saß auf meinem Bett.« Sie schwieg einen Moment, räusperte sich dann. »Er … er hat mich vergewaltigt. Das heißt – genau das hat er eben nicht getan. Er hatte ein Messer. Ich habe ihn dazu gebracht, dass er es weglegt …«

»Oh Gott.« Plötzlich ergab Camilas Verhalten der letzten Wochen einen Sinn. Klara hoffte, dass Camila weiterreden würde, und fürchtete sich zugleich vor dem, was sie zu sagen hatte. Sie legte den Arm um ihre Freundin, zog ihn aber sofort zurück, als Camila bei der Berührung erstarrte, als habe sich eine Schlange um ihren Hals gelegt.

»Wenn ich mich gewehrt hätte, wäre vielleicht nichts passiert«, sagte Camila leise. »Aber ich war kein Opfer. Er hat getan, was ich wollte.« In ihrer Stimme mischten sich Scham und Stolz.

»Du wolltest doch wohl nicht, dass ein Fremder auf deinem Bett sitzt und dir ein Messer an die Kehle hält.«

»Jetzt komm mir nicht mit diesem Therapeutengeschwätz. Ich weiß, was ich erlebt habe. Darüber will ich nicht reden. Es geht nur um Sammy. Diese Bestie dringt immer mehr in mein Leben. Mein Haus, meinen Körper, meine Kunst, die Bar meiner Freundin. Und jetzt ist meine Tochter an der Reihe. Er beschmutzt alles, vernichtet alles. Ich muss ihn aufhalten.«

»Kanntest du ihn?«

»Nein.«

»Warum willst du nicht, dass Gil davon weiß?«

»Verstehst du das nicht? Ich habe mich nicht gewehrt!« Tränen liefen über Camilas Gesicht. »Ich kann nicht einfach sagen: ›Ich bin überfallen worden, ich konnte nichts dafür.‹ Je nachdem, wie man es sieht, habe ich Gil sogar betrogen. Du kannst dir nicht vorstellen, was ich getan habe, damit dieser Mann sich fallen lässt. Ich habe dabei Seiten von mir entdeckt … Und es hat mich … befriedigt. Es ist wie ein Geschwür, das sich durch mich durchfrisst und nur Krankes hinterlässt. Ich sehe mich selbst nicht mehr, wenn ich in den Spiegel gucke.« Camila brach ab und wischte sich mit dem Ärmel übers Gesicht. »Wie soll ich das jemandem wie Gil erklären? Er ist so … unschuldig.« Sie ging einige Schritte hin und her. »Ich kann nicht mehr arbeiten, weiß nicht, wie ich je glauben konnte, mit ein bisschen Beton und Gips wären Dämonen in den Griff zu bekommen. Wie ich je –« Camila unterbrach sich abrupt. Nach kurzem Schweigen fragte sie mit fester Stimme: »Was glaubst du, was dieser Wahnsinnige überhaupt will?«

Klara räusperte sich, bevor sie antworten konnte, und versuchte, ihren professionellen Tonfall zu treffen. »Ich denke, er will Macht über dich, dich in Besitz nehmen. Anscheinend geht es ihm darum, Teil deines Lebens zu sein. Vielleicht will er mit der Zeit alles vernichten, was in deinem Leben außer ihm von Bedeutung ist, oder er will einfach nur dazugehören. Ich weiß es nicht. Dazu müsste ich mehr über ihn wissen.«

»Er kennt all meine Gewohnheiten. Ich fühle mich keine Sekunde mehr unbeobachtet. Manchmal denke ich, er ist schon in mir.« Sie presste die Handballen auf die Augen. »Was soll ich bloß Sammy sagen?«

»Die Wahrheit?«

»Welche denn? Zum Beispiel, dass ich einen Mann verführt habe, der nachts in meinem Schlafzimmer gesessen hat?« Camila verzog das Gesicht, als würde sie Säure schlucken.

»Mit einem Messer! Außerdem musste Sammy ihr halbes Leben lang Männer verführen, um zu überleben.«

»Manchmal denke ich, sie weiß es schon, so, wie sie mich ansieht.«

* * *

Der Geruch von gegrilltem Fleisch erfüllte die Luft. Über der Glut drehte sich brutzelnd ein Lamm. Unterlegt von House-Musik zogen laute Stimmen über den Strand. Einheimische und Urlauber mischten sich, fanden sich in wechselnden Gruppen zusammen, um das Thema des Abends zu diskutieren: der Mord in der Bar. Schwitzende Massen wälzten sich durch den Innenraum, wo die Leiche entdeckt worden war, begutachteten den Deckenbalken und suchten auf dem Boden nach Blutspuren. Die Touristen waren mit Kameras gekommen und ließen ihre Blitzlichter aufflackern.

Klara lehnte am Türrahmen und betrachtete angewidert die vielen Besucher. Mit Eintrittskarten hätte sie an diesem Abend ein Vermögen verdient. Jemand fasste nach ihrem Arm, sie roch den Hauch von Knoblauchatem. »Haben Sie auch davon gehört? Ist das nicht entsetzlich?«

Bevor Klara etwas erwidern konnte, wandte sich die mollige Frau mit dem akkuraten Pagenkopf jemand anderem zu. Immer mehr Menschen drängten sich herein, schleppten die fiebrige Hitze der Erregung mit sich, die sie wie ein abgelegtes Kleidungsstück im Raum zurückließen. Die Temperatur schien von Minute zu Minute zu steigen. Die Leiche war die Hauptperson des Abends.

»Sind Sie die Frau, die den Toten gefunden hat? War er nackt?«, fragte ein älterer Mann mit amerikanischem Akzent. Seine vollen Lippen waren kirschrot und glänzten nass. Dankbar griff Klara nach einem Glas Rioja, das Sonia ihr auf einem Tablett anbot, und flüchtete nach draußen.

Ob der Mörder in der Nähe war, lauschend, lauernd? Zufrieden mit den Auswirkungen seiner Taten? Klaras Unbehagen wich plötzlich der Gewissheit, beobachtet zu werden. In Erwartung eines auf sie gerichteten Augenpaares drehte sie sich um. Niemand in der Menge schien sie zu beachten. Lampions und bunte Lichterketten erhellten die Bar, doch schon wenige Meter weiter wirkte die Dunkelheit undurchdringlich wie eine schwarze Mauer. Nur eine helle Straße aus Mondlicht lag über dem Meer.

Klaras Blick traf auf Camila. Sie saß etwas abseits mit drei jungen Männern an einem Tisch. Mit einem bunten, spitzenverzierten Fächer bewegte sie die schwüle Nachtluft. Klara beobachtete die vier einen Moment. Camila war nur im Profil zu sehen. Sie hatte das Gespräch an sich gerissen, flirrend, wie es ihr eigen war, wenn sie sich für etwas begeisterte oder jemanden für sich begeistern wollte. Die jungen Männer saßen dicht neben ihr. Hin und wieder berührte sie wie zufällig eine Schulter oder ein Knie.

Gil saß an einem anderen Tisch mit Sànchez, Jane und Martínez und schaute immer wieder bekümmert zu seiner Frau hinüber. Sammy schlängelte sich durch die Menge zu Camila und setzte sich neben ihre Mutter. Innerhalb von fünf Minuten verließen die Jungen nacheinander den Tisch. Camila und Sammy hielten sich schweigend an den Händen, der Menge den Rücken zugewandt.

Wieder blickte Klara sich nervös um. Irgendetwas stimmte nicht.

»Ziemlich schrecklich, nicht wahr?« Martínez stellte sich neben sie und musterte die Massen.

Klara überlegte kurz, ob er Camilas Verhalten oder die Partygesellschaft meinte. »Wie ein Rudel Hyänen, die gierig das Aas wittern, aber zumindest kann ich mich nicht über mangelnde Gäste beklagen. Wenn es so weitergeht, verkaufen wir heute Abend den Getränkevorrat für einen ganzen Monat. Bis auf das Lamm, das noch nicht gar ist, ist das gesamte Essen weg. Als wäre ein Heuschreckenschwarm gelandet.« Klara balancierte das Weinglas auf ihrer Handfläche.

Der Amerikaner pirschte sich schon wieder an. »Entschuldigen Sie, wir wurden vorhin unterbrochen. War die Leiche nackt? Konnten Sie sehen, was der Mörder mit ihr angestellt hatte?«

Klara drehte sich wortlos um und ließ den Mann stehen. Angewidert zeigte sie Martínez ihren Arm, auf dem sich die Haare aufgestellt hatten. »Das ist so eklig, dass ich eine Gänsehaut bekomme. Was sind das bloß für Leute? Die müssen krank sein.«

»Ach was, das sind nur schlichte Normalbürger.«

Klara schüttelte sich. »Hatte Ihre Frau keine Lust mitzukommen?«

»Ich lebe allein. Haben Sie übrigens Gabriel gesehen?«

»Er hat sich vorhin den Schlüssel für die Surfschule geholt und wollte sich noch mal das Material ansehen. Ich schätze, ich sollte mich um die Gäste kümmern, aber ich kann diese Leichenfledderei nicht ertragen.«

Jane kam zu ihnen und umarmte Klara. »Du siehst hinreißend aus.« Sie trat einen Schritt zurück und musterte Klaras ärmelloses schwarzes Kleid.

»Ich gehe mal auf die Suche nach Gabriel.« Martínez lächelte den beiden Frauen zu und schob sich durch die Menge davon.

»Er hat was, findest du nicht? Einer der wenigen Männer, die beeindrucken, weil sie nicht beeindrucken wollen.« Jane blickte ihm nach.

Klara zuckte die Schultern. »Mein Bedarf ist für eine Weile gedeckt. Aber nett ist er.«

In Janes besticktem Abendtäschchen ertönte eine altmodische Telefonklingel. Sie fischte ein winziges silbernes Handy heraus, klappte es auf und hielt es ans Ohr.

»Hallo? Wie bitte? Wer?« Sie steckte den Finger in ihr anderes Ohr und entfernte sich vom Partylärm in Richtung Wasser.

Klara unterdrückte den Impuls sie zurückzuhalten und schaute ihr nach. Hinter dem Schleier der Dunkelheit schienen sich Schatten zu bewegen. Unwillkürlich ging Klara einige Schritte auf die Stelle zu, an der sie die Bewegung wahrgenommen hatte. Die Schatten verschmolzen mit der Nacht.

»Klara, wo willst du hin?« Jane hatte ihr Telefonat beendet und zog sie zur Bar. Mit zwei Flaschen Rioja kämpften sie sich zum Tisch von Sànchez und Gil.

»Sie kommen im richtigen Moment. Wir haben ein bisschen Essen gerettet. Gerade wollten wir anfangen.« Sànchez zeigte auf verschiedene Teller voller Muscheln, Fisch und Fleisch. Er trank aus und schenkte allen nach. Gil hob sein Glas. Als er ihnen schwungvoll zuprostete, spritzte Wein auf den Tisch. Aus leicht glasigen Augen sah er zu Camila und Sammy hinüber.

»Salute!« Sànchez hob sein Glas. Auch er wirkte nicht mehr ganz nüchtern. Selbstvergessen schaufelte er Lammragout auf ein Stück Brot und schob sich das tropfende Gebilde in den Mund.

Klara leerte ihr Glas und goss sich ein neues ein. Am Nachbartisch saß eine Gruppe asiatischer Frauen wie ein kleiner bunter Vogelschwarm zusammen mit einer spanischen Großfamilie. Sie gestikulierten wild und schienen sich großartig zu unterhalten.

»Sie hat mich heute Abend noch kein einziges Mal angesehen. Vielleicht lebe ich nur noch die Illusion einer Liebe, die schon gar nicht mehr existiert. Vielleicht sollte ich eine Weile in die Stadt ziehen«, murmelte Gil undeutlich.

»Muss nicht verkehrt sein, Gil. Haben Magalí und ich auch mal gemacht, vor … zwanzig Jahren oder so«, nuschelte Sànchez. »Aber nicht jetzt! Solange wir diesen Mörder nicht haben, musst du zu Hause bleiben und auf die beiden aufpassen.« Sànchez nickte bekräftigend und tunkte sein Brot in die Zitronensoße.

»Früher habe ich oft wach gelegen und war glücklich, wenn ich Camila im Schlaf ansehen konnte. Sie schnauft leise und schläft auf dem Bauch, mit einem Arm unter dem Kopf, das Gesicht zur Seite gedreht.« Gil lächelte in zärtlicher Erinnerung. »Aber jetzt liegt sie nicht mehr neben mir, wenn ich aufwache.«

Er schien sich erbärmlich zu fühlen. Klara überließ es Sànchez, ihn zu trösten, doch der schwieg ebenfalls.

Camila blickte mit schmalen Augen zu ihnen herüber, stand auf und bahnte sich einen Weg zu ihnen. In hautengen schwarzen Baumwollhosen und einem bauchfreien T-Shirt zog sie die Blicke auf sich.

An einem Tisch neben ihnen pfiff ein junger Mann. »Geiler Arsch, was?«, rief er seinem Freund zu.

Gil ballte die Fäuste und presste zwischen zusammengebissenen Zähnen einen Fluch heraus.

Es war noch immer brechend voll. Der harte, blecherne Sound der *Five, Six, Seven, Eights* füllte die Boxen, und die japanischen Frauen am Nachbartisch brüllten mit. Verwundert stellte Klara fest, dass das Stück auch zu Sànchez' Repertoire gehörte.

Camila schob einen Stuhl zwischen Gil und Sànchez und setzte sich.

»Hast du schon gegessen?« Klara schob eine Gabel über den Tisch.

Camila zuckte die Schultern. »Ein bisschen. Habe ich euer Gespräch unterbrochen?«

»Aber nein.« Gil entkorkte eine neue Flasche Wein.

Zwischen den lachenden, singenden Menschen fühlte Klara sich plötzlich wie eine Schattengestalt. Um sie herum Lügen, Gelächter, Gefühlsergüsse im Alkoholdunst. Warum war sie bloß aus Dortmund weggegangen? Aus den Augenwinkeln sah sie Sammy, die gemeinsam mit Gabriel langsam zum Wasser hinunterging.

Neue Gäste betraten die Bar und zogen eine Schneise der Stille durch die feiernden Menschen. Mit einem höhnischen Grinsen schlenderte Paco Jiménez-Pinzón in Begleitung von drei Freunden durch die Tischreihen. Trotz der warmen Nacht trugen sie Lederjacken. Scheinbar ungewollt stieß einer der jungen Männer ein Bierglas um und ging weiter, ohne den Besitzer des Bieres, der empört und nass aufsprang, zu beachten. Seine Frau zupfte ihn aufgeregt am Ärmel. Nach einem Blick auf Jiménez und seine Freunde setzte er sich wieder hin und winkte der Kellnerin.

Jiménez blieb vor Klaras Tisch stehen. Sie musterte seine engen schwarzen Jeans, die nach hinten gegelten Haare und die silbernen Ringe in seinen Ohren. An einen Surfer erinnerten nur noch die fehlenden Socken. Flankiert von seinen Freunden, zog er einen Stuhl vom Nachbartisch heran und setzte sich rittlings, die Arme auf der Lehne. Er ließ alle seine Zähne aufblitzen, doch das Lächeln gefror unterhalb der Augen. »Hi, Klara.«

Martínez, Gil und Sànchez starrten Jiménez an. Ärger erfüllte plötzlich die Luft und um sie herum verließen die Gäste nach und nach die Bar.

Klara biss die Zähne zusammen und wartete, bis ihr Herzschlag wieder den Ruhepuls erreicht hatte. Sie stellte sich vor, was passieren würde, wenn sie Jiménez ihren Wein ins Gesicht schütten würde.

»Hi«, sagte sie stattdessen. Obwohl ihre Haut vor Wut prickelte, versuchte sie freundlich, zumindest neutral zu bleiben, um zu verhindern, dass die schwelende Aggression losbrach und ihre Bar in Zukunft nicht nur als Mordschauplatz, sondern auch als Schlägerkneipe stigmatisiert war. Sie hoffte, dass ihr die Angst nicht anzusehen war und ihr Lächeln nicht so zittrig wirkte, wie es sich von innen anfühlte.

»Ich wollte dir zu deiner gelungenen Eröffnung gratulieren. Tolle Party.« Jiménez drehte sich um und hob die Stimme, so dass auch die letzten Gäste ihn hören konnten. »Wirklich toll hier. Ich denke, wir kommen öfter.«

Bevor einer der Männer an Klaras Tisch reagieren konnte, stand er auf und ging, gefolgt von seinen Freunden, mit wiegenden Schritten zum Ausgang. Auf dem Weg stieß er klirrend einen der Tische um. Ohne sich umzudrehen hob er die Hand. »Sorry. Keine Absicht.«

Camila stieß zischend die Luft aus. »Wer war das denn?«

»Paco Jiménez-Pinzón. Er will den Pavillon kaufen.«

»Das könnte ein Problem geben. Er hat einen gewissen Ruf.« Martínez zog eine Fortuna aus einer zerknüllten Packung und zündete sie an. Die Schatten in seinem Gesicht zuckten im flackernden Licht des Streichholzes.

»Er hat ein Fitnessstudio und eine Disco in der Stadt. Vor einem Jahr hat er jemanden totgeschlagen, aber er hatte Zeugen und ist mit Notwehr aus der Sache herausgekommen«, ergänzte Sànchez.

»Ich hatte Ihnen doch prophezeit, dass sich Interessenten für den Pavillon finden.«

Klara blickte sich um. Nur der Amerikaner mit den roten Lippen saß noch mit seiner dicken Frau an einem Tisch und verfolgte die Szene mit gierigen Augen.

»Ist ja nichts passiert.« Klara versuchte zu lächeln.

»Stimmt.« Martínez lehnte sich zurück und deutete um sich. »Immerhin ist das Mobiliar noch heil und keiner wurde verletzt. Es gibt Läden in Conil, die wären froh, wenn sie das nach einem Besuch von Jiménez sagen könnten.«

»Aber dann hätten wir wenigstens etwas gegen ihn in der Hand.« Sànchez griff nach den Fortunas, zog eine heraus, brach den Filter ab und steckte sie an. »Ich rede mit einem Kollegen. Jiménez kennt die Regeln, und es gibt da ein paar Argumente …«

»Dann hoffe ich nur, dass er auch nach den Regeln spielt.«

* * *

Am nächsten Morgen weckte Klara der Durst. Benommen griff sie nach der Wasserflasche vor dem Bett und verzog beim ersten Schluck angeekelt das Gesicht. Das Wasser hatte Körpertemperatur und floss kaum wahrnehmbar durch Mund und Kehle. Barfuß tappte sie in die Küche und setzte Kaffee auf. Mit dem kochend heißen Getränk in der Hand stellte sie sich auf die Terrasse. Es war noch nicht ganz hell. Der Himmel war mit horizontalen weißen, violetten und orangefarbenen Bändern gestreift.

Die Morde wollten ihr nicht aus dem Kopf. Sie war sicher, dass ihnen ein System zugrund lag. Sie wollte es herausbekommen, verstehen. Im Geist würde sie wohl immer Analytikerin sein.

Es war schon sehr warm, aber nicht drückend. Alles war von einem transparenten Leuchten umgeben. An einem Tag wie diesem musste die Bezeichnung Costa de la Luz, Küste des Lichts, gefunden worden sein. Bald würde die Sonne für einige Stunden alles mit ihrem gleißenden Licht erdrücken.

Erstaunt stellte Klara fest, dass sie Hunger hatte. Im Kühlschrank fand sie noch einen Rest Auberginenpüree und eine halbe Tortilla. Heißhungrig bestrich sie das Omelett mit der würzigen Paste, setzte sich mit dem Teller in ihren Lieblingskorbsessel auf die Terrasse und kaute genüsslich. Tiefblau, fast samten erstreckte sich das Meer hinter den Klippen. Trotz allem wusste sie wieder, warum sie hergekommen war. Ihre Träume waren hier. Immer schon hatte sie versucht, die Wirklichkeit auf die Ebene der Träume zu heben, statt sich mit ihr abzufinden.

Die Sonne wärmte Klaras Kopf und schläferte sie wieder ein. Hatte Camila ihren Vergewaltiger eigentlich gesehen? Violeta Jardiel hatte erklärt, es sei zu dunkel gewesen. Klara versuchte, sich ihr Gespräch mit Camila ins Gedächtnis zu rufen. Sie hatte nur gesagt, sie hätte ihn nicht gekannt.

»Hast du einen Kaffee für mich?« Wie gerufen stand Camila auf der Terrasse, ein ungewohnt leichtes Lächeln auf den Lippen. Sie holte sich eine Tasse, zog ihren Sessel zu Klara heran und setzte sich. »Habe ich dich geweckt?«

»Ich habe nachgedacht. Schläft Gil noch?«

»Nein, er ist gerade losgefahren. Er will sich mit einem Kollegen oder einem neuen Bekannten, ich weiß nicht genau, zum Frühstücken treffen, in Jerez, glaube ich. Ist dir aufgefallen, dass Sammy mit dem Sohn von Martínez ganz gut zurechtkommt?«

»Schon von Anfang an. Gestern sind sie am Meer spazieren gegangen. Auf welche Art auch immer, sie scheinen sich gut zu verstehen.«

»Was viele mit Worten nicht hinkriegen.« Camila lachte bitter.

»Ich würde dich gern noch was zu dieser Nacht damals fragen. Okay?«

Camila nickte. Ihre Augen wurden unstet.

»Würdest du ihn wiedererkennen?«

»Was glaubst du denn? Er war schließlich bei mir, bis es hell wurde. Ich sehe jede Pore in seinem Gesicht vor mir, nachts, wenn ich nicht schlafen kann, tagsüber, wenn mir für einen Moment meine Gedanken entgleiten, sehe jede Falte an seinem Körper, jeden Leberfleck«, presste Camila heraus. Sie konnte Klara nicht mehr ansehen, drehte sich weg, zum Meer.

»Glaubst du, du kannst ihn zeichnen?«

Camila machte eine abwehrende Handbewegung, mit der sie ihre Tasse vom Tisch fegte, sprang auf und lief ins Haus. Mit einer Rolle Küchenkrepp kam sie zurück. Sie ließ sich in den Sessel fallen, vergrub ihr Gesicht in den Händen und fing leise an zu weinen.

Klara hockte sich vor sie hin, zog Camilas Kopf an ihre Brust und legte die Arme um sie. Ihr Weinen wurde schlimmer, sie zitterte am ganzen Körper.

»Das halte ich nicht auch noch auf Papier fest!«, schluchzte sie leise.

»Das Papier kannst du wegwerfen, aber vielleicht hast du ihn dann ein Stück aus deinem Kopf«, antwortete Klara sanft.

»Fängst du schon wieder an, mich zu therapieren?« Camila löste sich abrupt von ihr. Sie riss ein Stück von dem Küchenkrepp und putzte die Nase.

»Eigentlich wollte ich nur wissen, wie er aussieht. Ist dir nicht klar, dass du alle in Gefahr bringst, wenn du das für dich behältst?«

* * *

»Herein.« Klara betrat Sànchez' Dienstzimmer und schaute sich um.

In dem hohen Raum war es angenehm kühl. Die Möblierung war behördenmäßig und hätte die Ausstattung jedes deutschen Büros sein können: ein Schreibtisch mit blauem Drehstuhl und ein überdimensionaler grauer Aktenschrank. Ein Gummibaum vor dem Fenster verhinderte das komplette Abgleiten in die Trostlosigkeit.

Sànchez umarmte sie zur Begrüßung und schob einen Besucherstuhl zurecht. Ein breites Lächeln malte Grübchen in seine runden Wangen und seine Augen waren von Lachfalten umgeben.

Klara fragte sich, ob ihr Entschluss richtig war. Sie hatte den restlichen Sonntag gegrübelt, noch einmal versucht, Camila zu überzeugen, sich ihrem Mann und der Polizei anzuvertrauen, aber ihre Freundin hatte wieder dicht gemacht. Sollte sie Sànchez wirklich von Camilas Vergewaltigung erzählen? Ohne dieses Puzzleteilchen fehlten ihm entscheidende Zusammenhänge. Vermutlich würde sie ihre Freundschaft mit dem Vertrauensbruch komplett ruinieren, aber wenn Sammy oder sonst jemandem etwas zustoßen sollte, würde sie damit noch weniger leben können. Hier ging es schließlich um Mord.

»Sind Sie schon vorangekommen, Comisario?«

»Absolut nicht. Die Ermittlungen stecken fest. Möchten Sie einen Kaffee?«

»Nein, danke.« Klara atmete tief durch, dann erzählte sie Sànchez alles.

Der Comisario fuhr sich über das Kinn, rieb sich die Bartstoppeln. »Tja. Schön, dass Sie so offen waren, Klara. Das Problem ist: Wir brauchen Fakten. Selbst wenn der Mann nach einer Zeichnung von Camila identifiziert werden könnte, ist es jetzt zu spät. Nach so vielen Monaten

kann man nicht mal beweisen, dass überhaupt eine Vergewaltigung stattgefunden hat. Und bei den beiden Morden
gibt es weder Zeugen noch Spuren, die auf den Täter hin-
weisen. Wenn nichts weiter passiert, kann ich nicht viel
tun.«

Sie stand auf und ging zum Fenster. »Er wird wieder
zuschlagen. Ich glaube, er hat erst angefangen.«

* * *

Sammy öffnete die Backofentür und holte ein Blech mit
dampfenden goldbraunen Keksen heraus. Sie trug eine
khakifarbene Armeehose und ein schwarzes T-Shirt. Mit
einer Spritztüte malte Camila sorgfältig neue Kringel auf
ein weiteres Blech. Sie war blass wie der rohe Kuchenteig.
Klara hatte den Eindruck, als würden sie sich bemühen,
»Freundinnen, abends gemütlich beim Backen« zu spielen, hätten aber ihren Text vergessen. Im Glas der Fenster und Türen spiegelte sich das Küchenlicht. Klara versuchte, das Dunkel zu durchdringen, das ihr von draußen
durch die Scheiben entgegenstarrte. Das Gefühl, beobachtet zu werden, überzog ihre Arme mit einer Gänsehaut.

»Wieso ziehst du nicht wenigstens die Vorhänge vor?
Irgendwo da draußen schleicht vielleicht ein Psychopath
rum, dessen einziges Hobby es ist, dich zumindest mit den
Augen in Besitz zu nehmen. Wenn er nicht gerade jemanden aus dem Weg räumt, der dich geärgert hat.«

»Ich hasse es, in abgedichteten Räumen zu hocken.
Wenn ich von der Angst vor ihm mein Leben bestimmen
lasse, ist das nicht besser als Sterben. Außerdem – glaubst
du, dass ein paar Vorhänge ihn im Ernstfall aufhalten
würden?«

»Aufhalten nicht. Aber ich finde es wesentlich entspannter, wenn ich weiß, dass keiner durch die Fenster starrt.« Gereizt stand Klara auf und ging hinaus, um die Läden zu schließen.

Aus der Küche erklang Radiomusik und übertönte jedes Geräusch im Garten. Plötzlich hatte sie wieder den zerschlagenen Körper vor Augen, der blutend von der Decke hing. Wie lange konnte ein Mensch in dieser Position noch gelebt haben? Hatte der Mörder ihm beim Sterben zugesehen? Die Morde waren eine seltsame Mischung aus Sadismus, Hass und kühler Präzision, mit der er die Opfer gemäß ihrer Vorlage arrangierte.

Sie schauderte. Es kam ihr vor, als wäre es plötzlich kälter geworden. Schon jetzt war ihr der Gedanke an den Heimweg durch den dunklen Garten unangenehm. Sie ging in die Küche zurück.

»Wo ist eigentlich Gil?«

Camila zuckte die Schultern. »Keine Ahnung, ich glaube, er wollte nach der Arbeit mit einem Kollegen ein Bier trinken.«

Sammy stand vornübergebeugt am Tisch, tauchte einen Pinsel in einen Topf mit geschmolzener Schokolade und überzog die abgekühlten Kringel mit der glänzend schwarzen Masse. Ihre Zungenspitze schob sich durch die Lippen und folgte den Bewegungen des Pinsels. Als sie fertig war, schnappte sie ihr Handy aus der Ladestation und verließ mit einem Winken die Küche.

»Hat sie ihre Begeisterung für SMS entdeckt?«, fragte Klara verwundert.

»Muss sie wohl. Jedenfalls belagert sie in den letzten Tagen ständig das Handy. Wie macht sich Gabriel übrigens als Surflehrer?«

»Keine Ahnung. Bis jetzt war keiner da, den das interessiert hätte, jedenfalls keiner, der dafür gezahlt hätte. Ich hoffe, es läuft an, wenn mehr Wind kommt. Gestern hat Gabriel Sammy Unterricht gegeben. Erst Trockenübungen, dann ein bisschen Auf und Ab im Flachwasser. Sie hat sich ziemlich geschickt angestellt.«

»War Jiménez-Pinzón noch mal in der Bar?«

»Bisher nicht. Sànchez wollte sich ja darum kümmern. Anscheinend hat es funktioniert.«

Die Hitze des Backofens breitete sich in der Küche aus. Als ihr Schweißperlen auf die Stirn traten, öffnete Camila wieder die Gartentür. »Nur zehn Minuten, in Ordnung? Danach verrammle ich wieder alles.«

Klara drehte ihren Stuhl so, dass sie die Tür zum Garten im Blick hatte, hinter der sich dunkle Formen bewegten, mischten, trennten. »Wie stellst du dir das eigentlich mit Gil weiter vor?«

Camila lehnte in der geöffneten Tür und fächelte sich mit einer Serviette Luft zu. »Ich weiß es nicht. Manchmal wünschte ich, ich wäre allein mit Sammy, hätte einfach meine Ruhe. Ich komme schon mit mir selbst nicht zurecht. Gil ist mir einfach zu viel. Wenn er mich anfasst, kann ich es nicht ertragen. Außerdem würde er mich vielleicht gar nicht mehr wollen, wenn ich ihm von der Nacht erzähle«, schloss sie fast unhörbar.

»Unsinn. Das weißt du. Wenn du nicht mit ihm redest, ist eure Ehe am Ende. Du liebst ihn doch, schon dein ganzes Leben lang.«

»Das wird sich auch nie ändern, aber trotzdem glaube ich, ich wäre froh, wenn er weg wäre. Eine Weile vielleicht …« Sie schauderte plötzlich und verschloss die Tür vor der Dunkelheit, die nur darauf zu warten schien, sich in den Raum zu stürzen, um alles Licht zu verzehren. »Deine Angst wird langsam ansteckend.«

»Bitte, Camila, mal das Bild!«

»Wozu?«

»Dann hat diese Bestie wenigstens nicht nur für dich ein Gesicht.«

* * *

Jane schritt wie eine Staatspräsidentin auf Auslandsbesuch durch den Laden. Nach rechts und links nickend begrüßte sie die Verkäuferinnen und nahm ein Sektglas aus der Hand der schwarzhaarigen Raquel. Klara entschied sich für einen *cortado*. Die heiße Luft, die sie mit hereingebracht hatten, verflüchtigte sich in der kühlen, zart nach Blumen duftenden Brise aus der Klimaanlage. Klara drehte sich zwischen den Wandspiegeln, die unendlich viele Raquels, Klaras und Janes, unendlich viele Chromregale auf glänzendem Marmor und hohe Glasvasen, in denen bunte Blüten schwammen, zurückwarfen. Die Spiegelungen ließen den großen quadratischen Raum verwirrend und verzerrt erscheinen.

Jane lehnte an der Wand und begutachtete die schwarzen und weißen Kleidungsstücke, die Raquel ihr präsentierte. Als sich Kleider, Blusen, Hosen auf dem Stuhl neben der Umkleidekabine türmten, winkte sie dankend ab.

»Warum wolltest du mich unbedingt heute treffen? Hast du was Neues?« Klaras Blick wurde von einem überlebensgroßen Poster angezogen, das eine wunderschöne dünne Frau in atemberaubendem Kleid und unbequem aussehender Pose zeigte.

»Nein, aus dem Alter der schnellen Wechsel bin ich heraus. Ich treffe mich immer noch ab und zu mit Florentino.« Jane verschwand in der Kabine.

»Erzähl endlich! Du platzt doch fast.«

»Was hältst du eigentlich von Mateo Silva?« Jane trat in einem schwarzen Kleid hinter dem Vorhang hervor.

»Er ist widerlich. Wie ein Blutegel.« Klara runzelte die Stirn. »Nein, nicht wirklich widerlich, eher beunruhigend.« Sie nickte Jane anerkennend zu, die versuchte, sich in dem engen Kleid von hinten zu betrachten. »Aber ich habe ihn schon länger nicht gesehen. Ich hoffe, er hat gemerkt, dass er bei mir nicht landen kann. Ich hatte allerdings auch nie den Eindruck, dass er das wirklich wollte. Ich glaube, das war das Seltsamste an ihm.«

»Dass ein Mann dich nicht wollte? Dein Selbstbewusstsein ist aber schnell wiederhergestellt.« Jane blickte Klara mit hochgezogenen Brauen im Spiegel an.

Klara grinste. »Unsinn. Ich meine, er wirkte, als würde er die ganze Zeit nur eine Rolle spielen. Charmant, geistreich, sensibel, aber irgendwie nicht echt. Wieso willst du das wissen?«

»Violeta Jardiel hat mich gestern angerufen.« Jane hielt eine schwarze Seidenbluse vor ihren Körper und betrachtete sich kritisch im Spiegel. Dann drehte sie sich um, blickte Klara an und schwieg einen Augenblick, um die Spannung zu steigern, bevor sie fortfuhr. »Sie war eineinhalb Jahre mit Silva zusammen.«

»Was? Wieso hat sie denn beim letzten Mal behauptet, dass sie ihn nicht kennt?«

»Vor allem aus Angst, sagt sie. Und Scham. Ohne die Morde hätte sie bestimmt weiter geschwiegen. Aber nachdem sie erst einmal angefangen hatte zu erzählen, konnte sie kaum wieder aufhören.« Jane verschwand mit der Bluse hinter dem Vorhang. »Es ist eine ziemlich üble Geschichte. Sie hat Silva ein paar Wochen nach ihrer Vergewaltigung kennen gelernt. Er hat sie im Supermarkt mit seinem Einkaufswagen gerammt. Sehr romantisch. Fand sie damals jedenfalls. Er war witzig, charmant, liebevoll, ein angesehener Arzt … Er hat ihr die Welt gezeigt. Mit dem Jeep durch Botswana, Tauchen auf Sansibar und den Seychellen … Am Anfang war alles wunderbar. Er hat sie umworben, bis sie ihn für den Prinzen auf dem Schimmel gehalten hat. Das war's dann. Er hatte kein Interesse mehr.« Jane schob den Vorhang beiseite, trat heraus und drehte sich mit ausgebreiteten Armen vor Klara. »Was sagst du?«

»Ganz wunderbar. Und wie ging's weiter?«

Jane griff nach einem weißen Overall und einem Leinenkostüm und schloss den Vorhang wieder hinter sich. »Violeta ist ihm noch eine Weile hinterhergekrochen. Er hat sie geschlagen, beschimpft, weil sie nicht gut genug für ihn war, und sie hat versucht, sich zu ›bessern‹, um ihn zu halten.«

Klara nahm ein schwarzes Shirt aus dem Regal, las den Preis und legte es wieder zurück. »Na ja, bitter, aber trivial. Das passt zu meinem Eindruck von Silva: ein Sadist hinter der jovialen Maske. Aber als Mörder schließt ihn das eher aus. Violeta hätte doch wohl gemerkt, wenn der Vergewaltiger ihr Liebhaber gewesen wäre.«

»Wart's ab, die Story geht noch weiter. Irgendwann – woran, wollte sie mir nicht sagen – hat sie genau das gemerkt. Ich glaube eher, sie hat es von Anfang an gewusst oder zumindest geahnt, wollte es aber nicht wahrhaben. Legst du das mal bitte weg?« Janes nackter Arm reichte das Kostüm aus der Kabine.

»Silva war also ihr Rosenkavalier und Vergewaltiger?« Klara nahm ihr die Kleidungsstücke ab und überlegte einen Moment. »Das könnte Sinn ergeben, auch wenn das jetzt eine etwas eindimensionale Erklärung eines komplexen Verhaltens ist: Aus irgendeinem Grund entwickelt er eine Obsession für eine Frau, wagt es aber nicht, sich dem Objekt seiner Begierde real zu nähern. Indem er ihr anonyme Geschenke macht, rückt er trotzdem ein Stück näher an sie heran. Irgendwann will er noch näher und nimmt sie mit Gewalt, aber wieder unerkannt. Und nachdem er sich seine Macht über sie auf diese Weise schon bewiesen hat, kann er sie endlich ansprechen. Entweder gab es damals keine Rivalen, oder seine Krankheit war noch nicht so fortgeschritten, dass er schon gemordet hat.«

»Aber warum war er nach deiner Theorie nicht glücklich, als er Violeta endlich besessen hat?«

»Weil es in solchen Fällen überhaupt nicht um Liebe oder echte Gemeinschaft geht, nur um Zwang, Kontrolle und vor allem Macht. Ein psychisch gesunder Mensch würde nicht auf die Idee kommen, dass er eine Beziehung mit Angst und Gewalt beginnen kann. Jemand mit dieser Persönlichkeitsstruktur dagegen ist nur in der Lage, sein Gegenüber als Objekt zu sehen. Wenn er dieses Objekt besitzt, begehrt er es nicht mehr. Er spielt vielleicht noch ein bisschen damit herum, aber der Reiz ist weg. Vorausgesetzt, mein Profil stimmt, hat Violeta großes Glück gehabt, dass sie sich verliebt hat. Wenn sein Begehren aussichtslos gewesen wäre, hätte er sie vermutlich getötet, um sie zu besitzen. – Wenn Violeta das Sànchez erzählt ...«

»Sie wird kein Wort darüber sagen«, fiel ihr Jane ins Wort. Sie trat aus der Kabine und sah noch einmal die restlichen Kleidungsstücke auf dem Stuhl durch. »Nachdem ihr klar geworden war, dass Silva ihr Vergewaltiger war, hat sie es endlich geschafft, sich zu trennen, und wollte zur Polizei gehen. Am nächsten Tag hat sie ihre Katze im Garten gefunden, mit durchgeschnittener Kehle. Danach ist sie in die Stadt gezogen. Sie hat immer noch panische

Angst vor ihm und würde der Polizei gegenüber alles abstreiten.«

Jane legte zwei Blusen, den Pulli und den weißen Overall über den Arm und ging zur Kasse. »Langsam bin ich wirklich neugierig auf diesen Silva.«

* * *

Klara konnte die ganze Nacht nicht schlafen. Ihr Verstand hörte nicht auf zu arbeiten, und sie wälzte sich hin und her, gequält von Gedankenfetzen und angstvollen Träumen. Nach jedem kurzen Schlummer erwachte sie schweißgebadet und starrte in die Dunkelheit. Lange vor dem Klingeln des Weckers stand sie überreizt auf und wartete auf den Sonnenaufgang.

Es war ein strahlend blauer Morgen, noch nicht zu heiß. Klara kramte ihre Turnschuhe heraus und zog ihre Laufhose und ein T-Shirt an. Dann verschloss sie die Türen, hängte sich die Hausschlüssel an einem Band um den Hals und lief zum Strand. Beim Joggen konnte sie überschüssige Energie abbauen, aber es war auch eine Möglichkeit, ungestört ihre Gedanken fließen zu lassen, während ihr Körper seinem eigenen Rhythmus folgte.

Klara lief am Hauptstrand vorbei. Das T-Shirt klebte nass an ihrem Rücken. Um diese Uhrzeit waren die Sonnenliegen noch aufgestapelt und lehnten an den Strandhütten. Ein erster Liegenvermieter öffnete seine blauweiß gestreiften Schirme. Klara trabte weiter bis zum Hafen. Der Fang des heutigen Tages war bereits verkauft, aber der beißende Geruch lag noch in der Luft. Sie drehte eine Runde um das Hafenbecken, vorbei an kleinen Fischerhäusern, die den Pier säumten. Auf dem Felsen, der den Hafen vom offenen Meer trennte, thronte das Hotel *La Luz,* in dem Jane wohnte. Klara blieb einen kurzen Moment stehen und sah zu ihrem Balkon hinauf. Die Vorhänge waren noch zugezogen. Sie drehte um und lief langsam nach Hause. Dort streifte sie Schuhe, Hose und Shirt ab und stellte sich unter die Dusche.

Als sie nackt und tropfend in die Küche tappte, überraschte sie Kaffeeduft. Im ersten Moment zog sich ihr Magen vor Schreck zusammen, dann sah sie Camila am Küchentisch.

»Vielleicht solltest du deine Türen abschließen, wenn du unter die Dusche gehst.« Ein kurzes Grinsen huschte über Camilas Gesicht, dann wurde sie wieder ernst und klatschte wortlos ein Blatt auf den Tisch.

In der Küche war es totenstill. Klara spürte einen seltsamen Widerwillen, das Gesicht auf dem Papier anzuschauen. Zögernd näherte sie sich. Das Geräusch einer dicken Fliege, die vor die Scheibe flog, zerschnitt die Luft wie ein Schuss.

»Nun guck's dir endlich an!«, forderte Camila sie heiser auf.

Es war kaum ein Gesicht. Wenige schwarze Striche, eine grobe Skizze, aber es war eindeutig Mateo Silva, der Klara anblickte. Sie legte das Blatt mit dem Bild nach unten auf den Tisch. »Mateo Silva. Der, mit dem ich die erste Leiche gefunden habe.« Klara lehnte sich zurück und schloss die Augen. Sie fragte sich, ob es klug gewesen war, Camila seine Identität zu verraten.

»Jetzt kann ich ihn endlich stoppen«, sagte Camila ruhig.

»Denk nicht mal dran! Denk an Sammy!«

»Tu ich ja. Und genau deswegen muss dieses Stück Dreck aus unserem Leben verschwinden.«

»Indem du ihn umbringst? Das kannst du kaum als Notwehr verkaufen.«

»Was schlägst du denn vor? Wir haben keinerlei Beweise. Er kann einfach weitermachen.«

»Wenn ich ihn richtig einschätze, haben wir eine gute Chance, ihn auszutricksen. Er hält sich für gottähnlich, dem Rest der Menschheit überlegen. Er kommt nie darauf, dass wir ihn als Täter identifiziert haben. Wir könnten ihm eine Falle stellen.«

»Tolle Idee. Ich gehe in eine Bar und fange Streit mit jemandem an. Dann lassen wir ihn nicht aus den Augen, und wenn der Killer kommt, schnappen wir ihn. Oder mit welchem originellen Plan wolltest du diesen überlegenen Geist austricksen?«

»Äh, so was in der Art hatte ich wirklich im Sinn. Vielleicht ist das nicht ausgesprochen originell, aber trotzdem gut, oder? Wir müssen auf jeden Fall den Comisario einweihen und einen Mann finden, der das Ganze freiwillig mitmacht.«

»Du denkst doch nicht etwa an Gil? Er darf davon nichts erfahren.«

»Nein, Gil wäre sowieso nicht geeignet. Ich glaube, dass für deinen Mann andere Kriterien gelten als für Fremde.«

»Einer von Sànchez' Leuten?«

»Auch nicht. Ich denke, Silva ist in der Lage, einen Polizisten von einem Zivilisten zu unterscheiden.«

»Glaubst du, auf so was lässt sich jemand anderes ernsthaft ein?«

* * *

»Also, ich fasse zusammen: Das Ziel ist, dass der Mörder beginnt, mich zu töten. Erst wenn diese Tötungsabsicht eindeutig erkennbar ist, greift die Polizei ein, natürlich vorausgesetzt, sie hat es geschafft, mich und den Mörder bis dahin nicht aus den Augen zu verlieren. Und sollte dieser Zeitpunkt gut gewählt sein, käme ich ohne ernsthafte Verletzungen davon. Ich muss nichts weiter tun, als Señora Cabrera Gómez gegenüber ausfallend zu werden, sie zu betatschen und mich von ihr schlagen zu lassen. Und dann soll ich mich – inzwischen ist es mitten in der Nacht – allein an den Strand oder in eine andere menschenleere Gegend begeben und darauf warten, dass der Mörder zuschlägt.« Ein Lächeln huschte über Martínez' Gesicht. »Und ich hatte mich schon gefragt, ob mein männlicher Charme Sie dazu bewogen hat, mich zum Essen einzuladen.« Er lehnte sich auf dem Küchenstuhl zurück und blickte Klara mit unbewegter Miene an.

Auf dem Herd bräunte gehackter Knoblauch in einer Pfanne und füllte die Küche mit seinem Geruch. Zwei große T-Bone-Steaks lagen auf Küchenkrepp neben einer Hand voll Rosmarinnadeln und unter einem feuchten Küchenhandtuch quoll Hefeteig. Klara stellte das Wasser ab und tupfte Champignons, Tomaten und Basilikum trocken, bevor sie antwortete. Ihr Gesicht war rot.

»Entschuldigen Sie. Im Grunde war schon die Bitte eine Unverschämtheit. Können Sie so tun, als hätte ich nicht gefragt und Sie allein wegen Ihres unwiderstehlichen Charmes eingeladen?« Ohne ihn anzusehen, hackte und schnitt sie und gab dann das Gemüse zu dem Knoblauch in die Pfanne.

»Ich werd's versuchen.« Er lächelte. »Kann ich mich irgendwie nützlich machen?«

Klara stellte Öl und Zitronen vor ihm auf den Tisch. »Wie sind Ihre Salatsoßen? Und Sie können den Wein eingießen.«

Das Brutzeln des bratenden Gemüses übertönte die peinliche Stille. Klara fettete ihre Finger mit Öl ein, formte kleine Laibe aus dem Teig, bestreute sie mit Rosmarin und schob sie in den Ofen.

»Es ist doch verrückt, dass Sie glauben, einen Serienmörder fangen zu können. Worum geht es Ihnen dabei? Um Gerechtigkeit? Oder den Thrill?«

Klara spülte ihre Hände ab. Ihre Beschämung verwandelte sich in Ärger. Sie stützte sich mit beiden Händen vor ihm auf den Tisch und holte tief Luft. »Es geht mir darum, alles in meiner Macht Stehende zu tun, um zu verhindern, dass noch mehr Menschen sterben müssen. Und ich habe ganz einfach Angst. Um meine Freunde. Und um mich.« Ihre Stimme war immer lauter geworden.

»Hey«, entgegnete er und hob seine Hand. »Sie brauchen nicht sauer auf mich zu sein. Ich versuche nur, Sie zu verstehen.«

»Dieser Mann rückt immer näher an uns heran. Mit dem ersten Mord hat er eine Grenze überschritten, und mit jedem weiteren wird er gefährlicher. Silva ist kein Serienmörder, der sein nächstes Opfer vielleicht sonst wo sucht. Er tötet ausschließlich aus Gier auf Camila, und die wächst. Können Sie sich vorstellen, wie es ist, wenn man keinen Schritt mehr machen kann, ohne sich beobachtet zu fühlen?« Klara holte tief Luft. »Ich weiß, er wird wieder töten.« Sie stellte sich dicht vor Martínez und sah ihm in die Augen. »Das Schlimme ist, dass er vollkommen unberechenbar ist. Man kann sich nicht darauf verlassen, dass er nur dann tötet, wenn jemand Camila zu nahe tritt. Oder wie er das in Zukunft definieren wird. Und die Polizei ist absolut machtlos. Ich will, dass das endlich aufhört.«

Martínez schwieg. Die Tomatensoße blubberte und spritzte. Klara stellte die Flamme kleiner und rührte um. Sie versuchte, ihre Tränen unauffällig wegzublinzeln.

»Würde die Polizei bei Ihrem Plan mitspielen?«

»Comisario Sànchez Algarra ist ein Freund. Es wäre ein hartes Stück Arbeit, ihn zu überzeugen, aber – ja, ich glaube, er würde mitmachen. Er geht ja auch davon aus, dass der Täter weitermorden wird. Und bei unserem Plan hätten wir wenigstens die Fäden in der Hand und wüssten, wer das nächste Opfer ist.«

* * *

Es war fünf Uhr morgens, und Klara war hellwach. Sie hatte das Gefühl, sich selbst aus dem Schlaf gerissen zu haben, um ihrem Traum zu entkommen, doch er lauerte noch immer im Hinterkopf.

Die Luft im Zimmer war verbraucht. Seit Tagen wagte sie nicht mehr, bei geöffneten Fenstern zu schlafen. Sie überlegte, ob sie einen frühen Lauf unternehmen sollte, aber nach einem Blick in die Dunkelheit entschied sie, bis zum Sonnenaufgang zu warten. Sie wollte nicht mehr schlafen, kochte sich eine Tasse Tee und trat auf die Terrasse. Über den Wipfeln der Pinien sah sie Licht im Atelier der großen Finca. Noch immer beherrschten die Schatten den Garten. Klara ging zurück in die Küche und verschloss die Tür. Sie fühlte sich eingesperrt. Unruhig wanderte sie zwischen Küche, Schlafzimmer und Wohnzimmer hin und her und griff schließlich doch nach ihren Laufschuhen, als es an die Küchentür klopfte.

»Klara!« Camila stand hinter der Tür, die Hand erhoben, um noch einmal zu klopfen. »Du hast doch nicht mehr geschlafen, oder? Ich habe Licht bei dir gesehen.«

»Ich bei dir auch, im Atelier. Hast du heute Nacht gearbeitet?«

Camila zuckte die Schultern. »Ich hab's versucht.« In ihrem zerknitterten Hemd und mit dunklen Schatten unter den Augen sah sie todmüde aus. Sie ließ sich auf einen Stuhl fallen und zeichnete mit dem Finger die Kratzer in der hölzernen Tischplatte nach. »Ich ziehe für eine Weile ins *La Luz*.«

»Willst du Gil verlassen?«

Camila schüttelte langsam den Kopf. »Ich muss einfach mal raus. Vielleicht hilft es, wenn wir etwas Abstand haben.«

»Habt ihr euch gestritten?«

»Nein. Wir haben nicht mal miteinander geredet.« Camila sah aus, als würde sie jeden Moment weinen.

Klara schwieg eine Weile. »Was sagt Gil dazu?«, fragte sie schließlich.

»Ich sage es ihm, sobald er wach ist.« Camila hatte die Arme um sich geschlungen. Ihre Augen glänzten und ihr Kinn zitterte. Sie stand auf, ging zur Tür und schaute hinaus in den anbrechenden Tag. »Ich hab's einfach nicht geschafft«, sagte sie leise.

Klara schwieg, bewegte sich nicht, hoffend, dass Camila weitersprechen würde.

»Ich habe so lange geglaubt, dass ich glücklich bin. Sicher, von Zeit zu Zeit habe ich mich gefragt, woher diese Bilder in meinem Kopf kommen. Als ich sie noch mit meinen«, sie lachte bitter auf, »albernen Saharaleichen ausdrücken konnte, hatte ich keine Angst vor ihnen. Oder vor dem Sumpf, aus dem sie auftauchen.« Camilas Gesicht spiegelte sich in der Scheibe. Sie weinte. »Der ganze Tod in mir. Ich weiß nicht mehr, wohin damit. Was immer ich jetzt zustande bringe, es sieht aus, als würde es den Gestank nach Aas verströmen. Und nach diesen Leichen am Strand komme ich mir vor, als würde ich selbst nach Verwesung stinken, alles um mich herum verpesten.« Sie zitterte.

Klara zog ihre Jacke aus und legte sie Camila um. Für einen Moment ließ sie ihre Hände auf ihren Schultern ruhen.

Camila strich über die weiche Wolle, dann blickte sie Klara an und grinste schief. »Aus der netten, gestandenen Camila ist ein ziemliches Wrack geworden, was?« Bevor Klara etwas sagen konnte, öffnete sie die Tür. Eine Bö wirbelte salzige Luft in die Küche und zerzauste ihr Haar. »Ich denke, Gil ist jetzt wach.«

* * *

»Er wollte mit mir nach Barcelona. Es sollte eine Überraschung werden.« Zwei Stunden später saß Camila wieder in Klaras Küche. »Und jetzt ist er weg. Er hat darauf bestanden, dass Sammy und ich im Haus bleiben, und ist mit einem Koffer in seine Praxis gefahren. Er hat dort zwar ein Schlafsofa, aber trotzdem … Ich sehe ihn an und kann nichts sagen. Er war unheimlich wütend und zugleich traurig und enttäuscht.« Camila stand auf, ging auf die Terrasse und blickte aufs Meer. »Sammy hat sich in ihrem Zimmer eingeschlossen. Ich zerstöre alles um mich herum. Ich glaube, ich drehe langsam durch.«

Klara war gerade erst vom Joggen zurückgekommen, schnürte die Laufschuhe auf und streifte sie von ihren heißen Füßen. »Ich bin mir sicher, dass ihr es wieder hinkriegt. Vielleicht ist es wirklich ganz gut, wenn ihr etwas Abstand bekommt. Wenn du für dich mehr Klarheit hast, kannst du auch wieder eher auf ihn zugehen.« Klara fiel selbst auf, wie leer und floskelhaft sich ihre Worte anhörten, aber Tröstlicheres fiel ihr nicht ein.

»Klarheit bekomme ich erst, wenn die Bestie aus meinem Leben verschwunden ist«, antwortete Camila leise.

»Das habe ich dir noch gar nicht erzählt: Martínez macht das Opfer.«

»Ernsthaft? Ich hätte ihn für vernünftiger gehalten. Was hast du dafür getan?« Camila musterte Klara prüfend.

»Ich habe für ihn gekocht. Aber das Essen hätte er auch bekommen, wenn er abgelehnt hätte.«

Ein Anflug ihres alten Grinsens huschte über Camilas Gesicht. »Was sagt Sànchez dazu?«

»Was zu erwarten war: Er hat das Ganze als Schwachsinn bezeichnet und sich geweigert, dabei mitzumachen, dass Martínez Silva zum Fraß vorgeworfen wird. Dann hat er den Plan zerpflückt, und am Ende hatten wir einen schönen und sehr detaillierten Entwurf. Als Ort für euren Streit haben wir wieder das *Café Cuba* gewählt. Ihr zieht eure Nummer ab, danach gehst du nach Hause. Martínez wird verärgert noch ein Bier auf dem Paseo del Atlántico trinken und dann runter ans Wasser gehen. Dort soll Silva dann zuschlagen.«

»Wo bin ich?«

»Habe ich doch gerade gesagt: Du gehst nach Hause.«

»Ihr spinnt wohl! Ich gehe doch nicht wirklich nach Hause.«

»Camila, bitte, das wird nicht dein Rachefeldzug. Vielleicht vergewissert Silva sich zuerst, dass du gut heimkommst, und versucht erst dann, Martínez zu schnappen. Wenn er feststellt, dass du nicht nach Hause gehst oder wieder weggehst, folgt er vermutlich dir und lässt Martínez in Ruhe. Vorsichtshalber hängt sich einer von Sànchez' Leuten auch an dich, um zu sehen, was Silva macht. Falls er überhaupt auftaucht.«

Camila schwieg.

»Wenn es dich tröstet: Ich darf auch nicht dabei sein. Sànchez will nicht mal, dass ich mit dir ins *Café Cuba* gehe. Seine Bedingung ist, dass er es ganz professionell mit seinen Leuten durchzieht und wir uns komplett raushalten.«

»Habt ihr auch schon einen Tag ausgesucht?« Camila klang noch etwas kühl.

»Am besten am Wochenende. Morgen ist Freitag. Was meinst du? Samstag oder direkt morgen schon?«

»Je eher, desto besser.«

* * *

Der Regen klatschte wie aus einem Eimer Wasser gegen die Autoscheibe. Jane öffnete zischend eine Coladose und schlürfte den austretenden Schaum ab. »Ich sehe überhaupt nichts. Wieso muss ausgerechnet heute das Wetter umschlagen?«

Klara wischte mit dem Ärmel über die Scheibe, die von innen beschlagen war. »Völliger Schwachsinn, das jetzt durchzuziehen! Bei dem Wetter macht doch kein Mensch einen Strandspaziergang. Als wäre es auf einen Tag noch angekommen. Na ja, vielleicht hört der Regen ja auf, bis die beiden rauskommen.«

Jane versuchte, ihren Sitz nach hinten zu schieben. »Was für eine Karre! Ich hätte doch etwas Komfortableres nehmen sollen.«

»Stell dich nicht so an! Schließlich haben wir den Wagen gemietet, damit uns keiner entdeckt.«

»Irgendwie kommt mir das Ganze ein bisschen absurd vor.«

Klara zuckte die Achseln. »Auf jeden Fall besser als zu Hause zu sitzen.«

»Da kommt wieder jemand raus.« Jane legte die Hände um ihre Augen und versuchte das Pärchen zu erkennen, das aus dem Eingang des Clubs trat, kurz unter dem Vordach verweilte und dann von Markise zu Markise sprintete.

»Camila und Martínez gehen nicht zusammen. Sie wird irgendwann wütend herausgeschossen kommen, und nach einer Weile folgt dann Martínez. Ich habe ein richtig schlechtes Gewissen, weil ich ihn da reingezogen habe. Stell dir vor, ihm passiert doch etwas …«

»Ach was. Wir sind schließlich nicht in Sevilla. Hier können wir ihn gar nicht aus den Augen verlieren. Und Sànchez folgt ihm mit zwei Leuten. Außerdem ist der Vorteil bei diesem Wetter, dass die Straßen wie ausgestorben sind. Sie verschwinden auf keinen Fall im Getümmel.«

Klara seufzte und beobachtete, wie das Wasser an der Scheibe herunterlief. Der Wind peitschte den Regen als weiße Schnüre fast waagerecht über den Platz. Jane zog eine schlanke silberne Flasche aus dem Handschuhfach und goss einen Schluck Rum in die Coladose. »Wo ist eigentlich Sammy? Wartet sie allein im Haus?«

»Sie schläft heute Nacht bei Luis und Sonia. Seit der Sache mit dem Farbkasten lässt Camila sie abends nicht mehr allein.«

»Weiß sie von der Aktion hier?«

»Nein. Camila wollte nicht, dass sie sich Sorgen macht.«

»Da ist sie!« Jane presste ihr Gesicht an die Scheibe.

Eine kleine Gestalt in einem kurzen Mantel trat aus der geöffneten Tür, verharrte kurz, blickte sich um und spurtete auf hohen Hacken durch den strömenden Regen zu einem schwarzen Mini am Straßenrand. Ohne sich umzusehen, stieg sie ein und fuhr los.

In der nächsten halben Stunde passierte nichts. Vier Pärchen und ein einzelner Mann verließen die Bar und stiegen in ihre Autos oder rannten durch die Pfützen platschend davon. Der Regen versiegte zu einem schmierigen Nieseln, das die Häuser nebelgrau und eigenartig traumhaft wirken ließ. Klara und Jane warteten schweigend. Klaras Rücken war steif und schmerzte. Langsam richtete sie sich in ihrem Sitz auf und dehnte ihre Muskeln.

Die Tür öffnete sich wieder und das gelbe Licht aus dem Inneren fiel auf die dunkle Plaza Santa Catalina.

»Martínez!«, flüsterte Klara. Ihr Magen krampfte sich zusammen und sie holte tief Luft, bis ihr Puls sich wieder beruhigte.

Martínez öffnete einen schwarzen Schirm und lief in Richtung Paseo del Atlántico.

»Folgen wir ihm oder warten wir auf Silva?« Auch Jane flüsterte.

»Wir warten, aber lass uns schon aussteigen.«

Obwohl die Plaza Santa Catalina menschenleer war, schlossen sie geräuschlos die Wagentüren und hasteten in den Schatten eines Mauervorsprungs. Klaras Anspannung wuchs. Von Sànchez' Männern war nichts zu sehen. Der Regen peitschte wieder über den Platz, und in wenigen Minuten waren Klara und Jane völlig durchnässt. Wasser sickerte kalt in die Schuhe und troff aus ihren Haaren. Fünfzehn Minuten, und noch immer war niemand Martínez gefolgt.

»Silva muss doch noch drinnen sein, oder?«, zischte Jane in Klaras Ohr.

»Sicher. Wir haben gesehen, wie er reingegangen ist, und einen Hinterausgang gibt es nicht.«

»Aber wenn er Martínez verfolgen will, ist er etwas spät dran.«

Klara zuckte ratlos die Schultern.

Wieder öffnete sich die Tür, und Silva trat auf den Platz. Seinen Arm hatte er um eine sehr junge Frau gelegt, die ihn anblickte und den Regen nicht wahrzunehmen schien. Lachend beugte er sich zu ihr hinunter.

»Martínez scheint ihn aber nur sekundär zu interessieren«, flüsterte Jane.

»Warten wir's ab!«

Sich an den Händen haltend, liefen die beiden zu einem schwarzen BMW, stiegen ein und fuhren los. Klara und Jane rannten zurück zu ihrem Auto und folgten ihnen. An der nächsten Straßenkreuzung scherte ein roter Seat zwischen die Wagen. In einem weitläufigen Konvoi fuhren sie durch die Altstadt. Als sie die engen Gassen der Innenstadt verlassen hatten, bog der rote Seat ab und ein dunkelblauer setzte sich an seine Stelle. Nach einigen Kilometern fuhr der BMW in eine kleine Seitenstraße. Mit einigem Abstand folgten Klara und Jane. Ebenso der dunkelblaue Seat. Silvas BMW bog erneut ab und fuhr in die Einfahrt zu einer frei stehenden Finca. Klara und Jane parkten einige Häuser weiter und liefen im Schutz der Büsche, die die großzügigen Vorgärten säumten, durch den Regen zurück.

»Das kann doch nicht wahr sein! Er ist nach Hause gefahren.« Klara spähte um einen kugelförmigen Kirschlorbeer und beobachtete die beiden Schemen, die sich hinter den zugezogenen Vorhängen bewegten.

»Er hat heute Abend wohl Besseres zu tun, als Martínez zu meucheln. Vielleicht haben wir uns geirrt, und er ist einfach nur ein Schwein, aber kein psychopathischer Killer.« Jane schüttelte sich wie ein nasser Hund. Aus ihren Haaren spritze das Wasser. Sie berührte Klara am Ellbogen. »Wir sollten nach Hause fahren.«

»Ich weiß nicht. Das kann doch nicht sein«, sagte Klara leise. Die Schatten hinter dem Fenster verschmolzen miteinander.

»Der hat heute nur noch eins im Sinn. Lass uns fahren. Ich bin völlig durchgefroren. Und für alle Fälle sind ja noch die Leute von Sànchez hier irgendwo.«

»Wahrscheinlich hast du Recht.«

* * *

Klara ließ heißes Wasser in die Wanne laufen und goss einen kräftigen Schluck grünen Badezusatz in den Strahl. Schnell war der Raum voll Rauchschwaden und Duftwolken, die sie an Kiefernwälder, Nebel und frisch gemähtes Gras denken ließen. Mit vor Kälte steifen Gliedern zog sie ihre durchnässten Sachen aus, wickelte sich ein Handtuch um den Kopf, hüllte sich in ihren Frotteebademantel und rief Camila an. Beim ersten Klingeln hob ihre Freundin ab.

»Ist es vorbei?«

»Wie es aussieht, war alles umsonst.« Klara erzählte von der Beschattung, dem Mädchen und den verschmelzenden Schatten.

»Das glaube ich nicht.« Camilas Stimme zitterte vor Enttäuschung.

»Es war eindeutig«

»Verdammt.«

»Stimmt«.«

»Und jetzt?«

»Keine Ahnung. Ich lasse mir gerade ein Bad ein, danach gehe ich ins Bett und versuche ein bisschen zu schlafen. Morgen hält Sànchez mir wahrscheinlich eine Strafpredigt, weil er wegen meiner wüsten Theorien einen kompletten Einsatz in den Sand gesetzt hat.«

»Und Silva?«

Klara schwieg.

* * *

Weshalb sie so gut geschlafen hatte, konnte Klara sich selbst nicht erklären, doch als sie erwachte, stand die Sonne schon hoch am Himmel. Nach dem Regen war die Luft klar und frisch. Das erste Mal seit Tagen hatte sie wieder mit geöffneten Fenstern geschlafen. Sie drehte sich auf die andere Seite und sah auf den Wecker. Sie blinzelte ungläubig. Zwei Uhr mittags. Sie hatte fast zehn Stunden durchgeschlafen. Martínez kam ihr in den Sinn. Ob Sànchez schon mit ihm gesprochen hatte? Sie tastete nach dem Telefonhörer auf dem Nachttisch, um ihn anzurufen, legte ihn dann aber wieder zurück auf die Gabel. Sie würde zu ihm fahren.

Mit einem Lächeln suchten ihre Augen den Topf mit tiefvioletten Callas vor dem Fenster. Gestern war sie in den kleinen Blumenladen am Marktplatz mit den von Feuchtigkeit beschlagenen Fenstern gegangen wie ein Kind in einen Süßwarenladen. Hinter den gegen die Sonne herabgelassenen Markisen schimmerten pralle Rosenblüten in unzähligen Rottönen. Auf Regalen und in den Ecken standen grünblättrige Pflanzen verschiedener Größen und glänzten wie poliert im Schein der schwachen Lampe. Die Luft war erfüllt mit exotischen Düften, hinter denen Klara einen leicht fauligen Geruch nach verrottender Erde wahrgenommen hatte. Zwischen dem fast obszön wuchernden, schlingenden Gewusel hatte sich gerade und schmal die schwarze Calla gereckt. Als die Verkäuferin ihr eine andere Pflanze empfohlen hatte, weil die Calla nicht leicht zu pflegen sei, wusste Klara, dass sie das Richtige für Martínez gefunden hatte.

Das Gras war schon wieder völlig trocken, als Klara in ihr Auto stieg. Bis sie sich für eine verwaschene Jeans und ein schwarzes T-Shirt entschieden hatte, bedeckten Hosen, Shirts, Kleider und Röcke das Bett und den Boden.

Die Gegend von Martínez' Haus war ihr unbekannt. Sie bewunderte die weitläufigen Grundstücke mit großzügigen alten Fincas und die fast dschungelartig wuchernden Pflanzen. Am Ende der Straße bog sie in die Calle de las Tiendas. Alte Kiefern überschatteten die Gärten, Fahrräder und großräumige Familienautos ließen auf Kinder schließen.

Am Ende der Straße zuckten Blaulichter. Es waren zwei Feuerwehrwagen und mehrere Polizeifahrzeuge zu sehen. Pressewagen mit Satellitenantennen auf dem Dach und neugierige Passanten verstopften die Straße. Über einem Haus kräuselte sich eine Rauchfahne, aber der Brand schien gelöscht. Erschöpfte Feuerwehrmänner mit rußverschmierten Gesichtern rollten bereits die Schläuche auf.

Klara las die Hausnummern, ihre Anspannung wuchs. Sie blickte noch einmal auf den Zettel mit der Adresse, aber es gab keinen Zweifel – der Brandort war Martínez' Haus. Sie schob sich durch die Schaulustigen und wandte sich an eine Reporterin, die an ihrem Wagen lehnte und in ein Aufnahmegerät sprach. Klaras Atem zitterte in ihrer Brust und ihre Hände waren so kalt, dass sich die Knöchel blau färbten. »Was ist hier los?«

»Es gibt noch keine offizielle Erklärung. Aber es soll Tote geben.«

Der brandige Gestank legte sich schwer auf ihre Schleimhäute und löste Herzrasen aus. Sie ging näher heran. Vor dem Feuer musste die Finca ein weiß gekalktes zweistöckiges Gebäude mit rotem Schindeldach gewesen sein. Übrig geblieben war eine rußgeschwärzte Fassade mit zerbrochenen Fenstern, die wie tote Augen starrten. Aber der Brand schien nicht so schlimm, dass jemand zu Tode gekommen sein musste. Der Rasen und die bunt blühenden Pflanzen im Vorgarten waren zertrampelt und in ein Schlammfeld verwandelt. Im Garten und im Innern des Hauses mischten sich Feuerwehrmänner, Polizisten und Menschen in Zivilkleidung. Zwischen ihnen drängten sich Journalisten, zum Teil mit Mikrofonen, während die Uniformierten versuchten, die Unbefugten vom abgesperrten Grundstück zu weisen. Alle schrien durcheinander. Im gleißenden Licht der Sonne wirkte die ganze Szenerie seltsam surreal.

Klara nutzte das Chaos und ging am Rand der Menge am Haus vorbei in den Garten. Hinter dem Haus war es ruhiger. Auf einem kleinen gepflasterten Ruheplatz entdeckte sie ihre zurückgeschnittenen Lavendelpflanzen, aus denen zaghaft einige frische Blüten die Köpfe reckten. Klaras Herz verkrampfte sich. Sie stieg die Stufen, über die schmutziges Löschwasser abfloss, hinauf in die Küche. Wie es schien, war das Feuer hier ausgebrochen. Der Herd und die Küchenzeile waren nur noch ein verschmorter Klumpen. Eine große Auswahl an Küchengeräten zeugte von Martínez' Begeisterung für das Kochen. Stinkender Rauch trieb durch den Raum. Hinter der geöffneten Tür stand mit dem Rücken zu ihr ein auffallend kleiner, schmächtiger Polizist in blauweißer Uniform.

Klara roch eine Ekel erregende Mischung aus Lebensmitteln, Möbeln, Holz, Plastik und allem, was sonst noch im Haus verbrannt war. Ihr Herz schlug so hart, dass ihr schwarz vor Augen wurde. Stolpernd kämpfte sie sich durch die überschwemmte Küche und versuchte, sich wie selbstverständlich an dem Uniformierten vorbeizuschieben, aber er fasste sie am Arm und drängte sie zurück. »Was haben Sie hier zu suchen? Sie müssen hier raus.«

Sie würde nicht gehen, ohne zu wissen, was mit Martínez

geschehen war. Halb betäubt vor Entsetzen, richtete Klara sich zu ihrer vollen Größe auf, zog die Brieftasche hervor und klappte sie auf. »Ich bin Doctora Keitz. Comisario Sànchez Algarra hat mich angefordert.«

Zweifelnd musterte er ihr blasses Gesicht. »Warten Sie bitte draußen. Ich sage ihm Bescheid.«

Er schob sie hinaus und entfernte sich. Klara lief zurück ins Haus, durch den leeren Flur in das Wohnzimmer, in dem sich die meisten Menschen drängten. Sie fing an zu zittern. Wie an unsichtbaren Fäden gezogen, näherte sie sich einer Ecke, in der Sànchez mit drei Uniformierten und einem Mann im Nadelstreifenanzug sprach. Sie hatten dünne Gummihandschuhe über die Hände gezogen und trugen Überschuhe. Der hoch gewachsene Fotograf ging mit aufgekrempelten Hosenbeinen langsam umher. Im Wohnzimmer hatte das Feuer weniger heftig gewütet, und die Wände waren nicht schwarz vom Ruß, sondern rot gesprenkelt. Etwas anderes stieg Klara in die Nase und überlagerte den Brandgeruch: der Gestank des gewaltsamen Todes.

Überall war Blut, als hätte ein wildes Tier hier seine Beute zerfetzt. Rote Fingerschmierer an den Wänden, wo jemand sich abgestützt hatte, dicke Tropfen und Spritzer auf dem Holzfußboden, den Möbeln und weißen Vorhängen.

Martínez lag auf dem Boden, wie in einem absurden Tanz erstarrt. Das linke Knie war bis zur Taille angewinkelt, das rechte Bein abgespreizt, als ob er jeden Moment zu einer Pirouette in die Höhe springen wollte, eine grausame Karikatur von Leichtigkeit und Lebensfreude. Das ehemals schwarze Hemd hing in Fetzen von seinem Oberkörper. Seine Haut war überkrustet von schwärzlich rotem Blut, das Haar steif davon wie eine Drahtbürste. Schnittwunden, Blutergüsse und Knochenbrüche entstellten sein Gesicht. Anhand der Gewebereaktionen erkannte Klara, dass Martínez noch eine Weile mit seinen Verletzungen gelebt haben musste. Finger und Handflächen waren bis auf die Knochen zerschnitten worden, vermutlich als er, um sich zu schützen, nach der Messerklinge zu greifen versucht hatte.

Der Mann im Anzug kauerte sich auf seine Fersen und betastete vorsichtig Martínez' Hinterkopf.

Klara war sich nicht bewusst, einen Laut ausgestoßen zu haben, aber wie auf ein Signal drehten sich die Männer plötzlich zu ihr um. Bei ihrem Anblick verstummten sie für einen Moment.

»Verflucht, schaff jemand sofort die Frau hier raus!« Der Mann im Anzug sprang auf.

Klara wurde schwarz vor Augen. Wimmernd kniete sie auf dem nassen Boden nieder und bedeckte das Gesicht mit den Händen.

»Kommen Sie, Klara«, murmelte Sànchez sanft. Er hockte sich neben sie und legte den Arm um sie, dann half er ihr auf. Sein Gesicht war tiefrot, seine Augen von Mitleid und Schmerz erfüllt. »Kommen Sie raus hier«, wiederholte er. »Es ist besser, wenn Sie nicht alles sehen.«

Dazu war es zu spät. Mühsam erhob sich Klara. Wieder wurde ihr schwindelig. Der Raum schwankte und der Boden drehte sich. Hilflos sah Klara ihn auf sich zurasen. Sànchez fing sie auf und hielt sie fest. Irgendwoher brachte jemand eine Decke und legte sie ihr um die Schultern. Blitzlichter und Blaulicht zuckten über ihre Gesichter, als der Comisario sie hinaus zu einem Wagen führte.

* * *

Vor dem Fenster krochen die Schatten durch den Garten, als die Sonne weiterwanderte. Am dunstigen Horizont zog ein Frachter oder eine Fähre vorbei. Klara starrte auf eine alte knorrige Pinie, deren Nadeln sich in diesem erbarmungslosen Sommer gelb gefärbt hatten. Sie konnte ihre Gedanken nicht abschütteln, immer wieder sah sie Martínez vor ihren Augen: lachend in ihrer Küche, mit dem Schneebesen die Salatsoße schlagend, schlafend auf ihrer Terrasse. Sie erinnerte sich an seinen verwirrten Blick, als er erwacht war. Und immer wieder sah sie seine blutige Leiche vor sich. Klara wusste nicht, ob sie das Schicksal verfluchen oder ihm danken sollte, weil sie ihn vor seinem Tod nicht besser kennen gelernt hatte. Sie hätte alles in der Welt gegeben, um ihre Bitte an ihn zurückzunehmen.

Keine nennenswerten Spuren, hatte der Comisario gesagt. Soweit man die Ereignisse bis jetzt rekonstruieren konnte, hatte der Mörder Martínez gestört, als er sich noch etwas zu Essen machen wollte. Die Pfanne hatte Feuer gefangen und die Küche in Brand gesetzt, von dort aus hatte sich das Feuer im Haus ausgebreitet. Die Schlösser waren unversehrt. Aus irgendeinem Grund musste Martínez dem Täter die Tür geöffnet haben. Silvas Alibi war unantastbar. Die junge Frau aus der Bar war die ganze Nacht bei ihm gewesen und behauptete, er habe das Haus auf keinen Fall unbemerkt verlassen können.

»Warum haben Sie Ihre Männer abgezogen?«, hatte Klara in plötzlich aufloderndem Zorn gefragt.

»Glauben Sie, dass ich mir das nicht jede einzelne Sekunde selbst vorwerfe? Dieses Massaker hätte ich verhindern müssen«, antwortete er leise.

Klara schloss die Augen und lauschte einem Lachen irgendwo anders im Polizeigebäude. »Es tut mir leid, Sànchez. Wenn jemand Schuld hat, dann ich. Ich habe

Martínez die Rolle als Köder zugedacht. Ohne mich wäre er nie mit dem Mörder in Berührung gekommen. Aber es ist so verdammt unerträglich, damit weiterleben zu müssen.« Sie begann zu weinen.

»Sie können damit leben, und Sie werden es auch tun.«

Klara hatte ihren Kopf an seine Schulter gelehnt. »Was bleibt?«

Es klopfte leise. Klara schreckte aus ihren Gedanken und blickte auf. Camila stand mit einer Tasse Tee an der Tür. Nachdem der Comisario Klara zu ihr gebracht hatte, hatte sie sie auf ihre Bitte hin allein im Gästezimmer gelassen. Klara hatte geweint, bis ihre Augen zugeschwollen waren. Irgendwann waren die Tränen versiegt. Dann hatte sie geduscht, mit einer Bürste ihre Haut geschrubbt, bis sie glühte, blutete, aber noch immer hatte sie den Gestank von Rauch und Tod in der Nase.

»Tee?« Zaghaft streckte Camila ihr die Tasse entgegen.

Klara nickte. Wieder schnürte sich ihr die Kehle zusammen. Camila musterte sie eine Weile, an den Türrahmen gelehnt, die Hände in den Taschen ihrer weiten Khakishorts. »Du gibst dir die Schuld an seinem Tod«, sagte sie schließlich.

Klara wandte den Kopf zum Fenster. Aus ihren Augen strömten wieder Tränen.

Camilas Gesicht war vor Schmerz und Zorn verzerrt. »Nur er hat Schuld. Der Mörder. Kein Mensch sonst.« Sie legte eine Hand auf Klaras Nacken. Eine Weile starrten beide wortlos hinaus, dann stand Camila auf und lehnte ihre Stirn an das Fenster. »Er hat ihn meinetwegen umgebracht«, sagte sie leise.

Klara ging zu ihr und legte die Arme um sie.

Camila klammerte sich an sie und legte den Kopf an ihre Schulter. »Ich werde wahnsinnig, wenn ich mir vorstelle, dass ich mit der *Pirouette* die Vorlage zu Martínez' Tod angefertigt habe.«

»Du hast doch gerade selbst gesagt, nur der Mörder ist schuld. Er hat Martínez getötet, weil er es wollte.« Tränen der Bitterkeit liefen über Klaras Gesicht. »Ich weiß, es fühlt sich einfach nicht so an.«

* * *

Es war nach Mitternacht, als Klara erwachte. Die Fensterläden waren geschlossen. Durch die Lamellen fiel Mondlicht ins Zimmer und zeichnete helle Streifen auf den Boden vor dem Bett. Als sie in die Dunkelheit starrte, nahmen die Schatten schärfere Konturen an. Sie konnte sich nicht mehr erinnern, wann oder wie sie eingeschlafen war. Sie trug noch Shorts und T-Shirt, die sie gestern nach dem Duschen übergestreift hatte, und lag zusammengerollt quer auf der blauen Steppdecke, als wäre sie irgendwann einfach zur Seite gekippt.

Vor dem Fenster zeichneten sich schwarz die Umrisse der Calla ab. Trauer, Hoffnungslosigkeit und Verbitterung drückten Klara die Luft ab. Sie wünschte, sie wäre nie nach Conil gekommen, und vergrub das Gesicht in den Händen, bis der krampfhafte Schmerz nachließ.

Aus dem Erdgeschoss hörte sie Stimmen. Gil musste endlich zurückgekommen sein. Sammy war gestern zu Gabriel gegangen und bei ihm geblieben. Klaras Gedanken sprangen in ihrem Kopf hin und her. Vor ihren Augen erschienen die Bilder von Martínez' geschändetem Körper, und sie stellte sich seinen ungleichen Kampf mit dem Mörder vor. Den Täter betreffend, hatte sich Ratlosigkeit ausgebreitet. Wie bei den letzten beiden Morden waren auch diesmal keine Spuren zu finden. Leise schlug ein Zweig gegen die Läden. Klara lag in der Dunkelheit und wurde trotz ihrer Erschöpfung immer unruhiger, als sie sich den dunklen Garten rund um das Haus vorstellte. Nach einer weiteren Viertelstunde gab sie auf und zog Jeans und T-Shirt an, um zu Gil und Camila hinunterzugehen.

Im Treppenhaus roch es nach Kaffee, Zigarettenrauch und angebratenen Zwiebeln. Die Stille verwirrte Klara. Hoffentlich platzte sie nicht wieder in eine Liebesszene. Barfuß tappte sie leise die Steintreppe ins Erdgeschoss hinunter und überlegte gerade, ob sie sich mit einem Rufen oder Husten ankündigen sollte, als sie durch die geöffnete Küchentür Camila in einer Pfanne rühren sah. Sie blieb stehen. Seltsam. Gil würde Camila nie freiwillig an den Herd lassen.

»Ich hätte gern drei Eier, Schatz«, hörte Klara eine weiche Stimme aus dem Wohnzimmer. Das war nicht Gil, aber irgendwoher kannte sie diesen samtig-rauen Klang. Camila stand mit auffallend geradem Rücken am Herd und blickte sich nicht um.

»Liebes, hast du mich gehört?«

»Aber ja, drei Eier für dich. Es dauert noch etwas – Schatz.« Es klang, als würde Camila die Worte zwischen den Zähnen herauspressen.

Klara erstickte den Schrei in ihrer Kehle, als sie Silvas Stimme erkannte. Lautlos bewegte sie sich wieder die Treppe hinauf und schloss die Tür des Gästezimmers hinter sich. Mit zitternden Händen wühlte sie nach ihrem Handy im Rucksack und verfluchte sich für ihre Angewohnheit, ihren halben Besitz und jede Menge Müll mit sich herumzuschleppen. Der Akku war fast leer. Sie suchte Sànchez' Privatnummer aus der Liste und wählte. Nichts. Nach dem vierzehnten Klingeln hob jemand ab.

»Ja?«, krächzte Sànchez heiser und hustete.

»Klara hier.«

»Hallo? Was soll das? Wer ist da?«

»Klara Keitz!«, zischte sie etwas lauter in den Hörer.

»Klara! Ich kann Sie kaum verstehen.«

»Ich kann nicht lauter reden! Silva sitzt bei Camila im Wohnzimmer.«

Sànchez zerdrückte einen Fluch zwischen den Zähnen. Im Hintergrund hörte Klara das Knarren des Bettes, als er aufstand. »Sind Sie beide allein im Haus?«

»Ja.«

»Ich schicke sofort einen Wagen und fahre los. Aber es dauert mindestens zwanzig Minuten, bis wir da sind.« Er hustete wieder. »Seien Sie um Himmels willen vorsichtig. Machen Sie … verdammte …«

Sie hörte ihn noch etwas murmeln, dann war die Verbindung unterbrochen.

Klara sah auf die Uhr. Siebzehn Minuten nach eins. Sie wagte es nicht, die Lampe anzuschalten. Falls Silva in den Garten ging, könnte er den Lichtschein durch die Läden sehen. Sie versuchte ein Feuerzeug zu entzünden. Beim vierten Versuch klappte es. Im flackernden Schein der Flamme blickte sie sich um. Nichts, was sie als Waffe benutzen konnte. Eine Porzellanvase. Klara wog sie in der Hand, aber sie war zu leicht. Sie starrte zweifelnd auf ihr Taschenmesser. Die Klinge war zwar nur fünf Zentimeter lang, allerdings feststellbar. Wenn sie an der richtigen Stelle zustechen konnte, würde sie reichen.

Sie schlich zurück in den Flur. Mittlerweile war Camila nicht mehr in der Küche, und Klara bewegte sich vorsichtig die Stufen hinunter. Von dort aus konnte sie im Schutz der Treppe einen Teil des Wohnzimmers überblicken. Auf der breiten Couch mit dem weißen Leinenbezug saßen Camila und Silva scheinbar einträchtig nebeneinander. Der

Eindruck wurde nur durch das Messer in seiner rechten Hand gestört. Auf dem würfelförmigen Rattantisch vor ihnen standen ein Teller mit einer zerfallenen Tortilla, eine Kaffeekanne und zwei Tassen. Mit der Linken stocherte Silva in den Eiern, nahm eine Gabel voll und verzog das Gesicht. »Schatz, ich hätte gern noch ein Bier dazu. Wärst du so lieb …?«

»Gern«, antwortete Camila, stand auf und ging bereitwillig in die Küche. Mit einer geöffneten Flasche Bier kam sie zurück und reichte sie ihm, als würden sie ein absurdes Theaterstück aufführen.

»Danke.« Er steckte noch etwas Tortilla in den Mund und kaute. Unvermittelt spuckte er die Eier auf den Boden. »Diese Scheiße ist ungenießbar«, schnauzte er Camila an.

»Es tut mir leid. Aber – Schatz – bitte lass uns leise sein, damit Klara nicht wach wird … und uns stört.« Das verführerische Lächeln auf ihrem Gesicht wirkte gefroren.

Silva erwiderte ihr Lächeln. Dann streckte er eine Hand nach ihrer Wange aus, berührte ihren Hals, glitt tiefer und streifte einen Träger ihres Nachthemds von der Schulter.

Klara sah auf die Uhr. Noch mindestens dreizehn Minuten bis zu Sànchez' Ankunft.

Camila kniff ihre Augen zusammen und presste die Hände zu Fäusten, als Silva seine Hand über ihre Brüste gleiten ließ.

»Sag mir, wie froh du bist, dass ich zurückgekommen bin, mein Herz. Aber ich war ja nie wirklich weg. Hast du gespürt, dass ich auf dich aufgepasst habe?«

Tränen liefen über Camilas Wangen, als sie nickte.

»Sag es!« Silva legte die Hand um ihre Brust und drückte zu.

Vor Schmerz zuckte Camila zusammen und schnappte nach Luft. »Ich bin glücklich, dass du zurück bist.«

Seine Hand entspannte sich, streichelte sanft ihren Hals und streifte dann den anderen Träger von der Schulter. Der weiche Stoff glitt an ihrem Körper bis zur Hüfte hinab.

Fieberhaft suchte Klara nach einem Plan. Wenn Camila weiter mitspielte, würde Silva sie bis auf weiteres nicht töten. Erst, wenn ihm die Aussichtslosigkeit, Camila zu gewinnen, klar werden würde, war ihr Leben in Gefahr. Aber ab welchem Punkt war das besser, als ihn weitermachen zu lassen?

»Ich habe die ganze Zeit gewusst, dass du dich nach mir sehnst. Sonst hättest du damals nicht all diese unglaublichen Dinge mit mir gemacht. Jetzt weißt du, wie gut es mit einem Mann sein kann. Deinen Ehemann« – er sprach das Wort wie eine Beleidigung aus – »hast du nach der Nacht mit mir ja nicht mehr rangelassen. Die ganze Zeit hat er sich bei mir ausgeheult. Hast du gewusst, dass wir uns in den letzten Wochen angefreundet haben?« Silva kicherte. »Er ist eigentlich ein ganz netter Kerl. Ich hätte ihn nur ungern getötet. Aber das ist ja auch nicht nötig, du hast ihn endlich weggeschickt. Das ist gut. Viel länger hätte ich nicht warten können.«

Klara stieg die Galle die Kehle hoch. Als er schwieg, hörte sie Camilas rasches flaches Atmen. Sie zitterte, ihre vollen Brüste bebten.

Silva fuhr mit den Fingerspitzen die Rundungen entlang, hinunter zur Mulde ihres Unterleibs, griff in den Stoff ihres Nachthemds und zog es mit einem Ruck über ihre Hüften. »Du bist so sanft heute. Komm her, zeig mir wieder, wie wild du sein kannst. Jede Nacht höre ich noch deine Schreie in meinem Kopf.« Silva setzte sich auf und nestelte an seinem Reißverschluss. Dann streifte er seine Hose ab, schob sie mit dem Fuß beiseite und trat vor

Camila. »Dreh dich um!« Die Weichheit war aus seiner Stimme verschwunden.

Camila blickte ihn mit großen ernsten Augen an.

An der linken Wand im Wohnzimmer stand eine von Camilas Skulpturen. Etwa drei Kilo Beton, schätzte Klara. Sie musste es irgendwie schaffen, unbemerkt das halbe Wohnzimmer zu durchqueren.

»Ich habe gesagt, du sollst dich umdrehen. Knie dich aufs Sofa!«

Klara blickte auf die Uhr. Noch mindestens acht Minuten. So lange konnte sie nicht warten.

Camila kniete sich vor ihn. Silva zog sie an den Hüften näher zu sich heran, drückte ihren Oberkörper so tief wie irgend möglich nach unten und schob die freie Hand zwischen ihre Beine.

Klaras Herz hämmerte wie ein Presslufthammer. Silva würde jetzt hoffentlich nicht darauf achten, was hinter ihm passierte. Sie schlich über die Fliesen, griff die Figur mit beiden Händen und trat hinter ihn.

Silva packte Camilas Hüften. »Hey, du zitterst ja schon vor Ungeduld.«

Klara hob die Arme und ließ die Skulptur niederkrachen, rutschte aber seitlich an seinem Kopf ab, ohne ihn ernsthaft zu verletzen.

Silva stolperte zur Seite, und Camila kauerte sich schluchzend auf dem Sofa zusammen. Er stand wieder auf, das Messer noch in der Hand. An seiner Schläfe war eine Platzwunde, aus der Blut auf sein Hemd lief. Er kniff die Augen zusammen und kam auf Klara zu. Hinter ihm erhob sich Camila und ballte mit hassverzerrtem Gesicht die Fäuste. Er drehte sich um und schlug ihr so hart ins Gesicht, dass es ihr den Boden unter den Füßen wegzog. Als Silva sich von Camila abwandte, sprang Klara auf ihn zu, holte aus und schlug ihm die Skulptur seitlich vor den Kopf. Er fiel ohne einen Laut, das Messer rutschte aus seiner Hand.

Klara rechnete damit, dass er jeden Moment wieder aufspringen würde, griff nach dem Messer und setzte es an seine Kehle. Sie blickte auf die rasiermesserscharfe Klinge. Damit hatte er vermutlich Martínez gefoltert. Wut stieg in Klara auf, immer stärker, bis sie sie zum ersten Mal in ihrem Leben nicht kontrollieren konnte. Wut, die alles Zivilisierte in ihr überflutete.

Sie drückte die Spitze in die zarte Haut seiner Kehle und sah fast überrascht, wie ein Rinnsal Blut über den Hals sickerte. Silvas Augen waren ausdruckslos wie Gallert. Sie drückte ein bisschen fester. Er rührte sich nicht. Unter der dünnen Haut klopfte die Halsschlagader gegen das Messer.

»Klara!« Camila kniete neben ihr. »Tu das nicht!«, sagte sie leise.

Klara hörte ihre Stimme wie durch tiefes Wasser. Dumpf nahm sie das Zuschlagen von Autotüren wahr. Plötzlich waren Menschen im Zimmer, mit Waffen im Anschlag.

»Klara, nehmen Sie das Messer runter«, sagte Sànchez.

Sie rührte sich nicht. Das Blut floss mittlerweile stärker.

»Klara, bitte. Es reicht. Das ist er nicht wert.« Camila streckte vorsichtig die Hand nach dem Messer aus.

Klaras Finger begannen zu zittern.

»Wenn Sie ihn töten, hat er auch Sie zerstört.«

Tränen liefen über ihr Gesicht. Sie nahm das Messer von Silvas Hals.

* * *

Wie eine Echse, die träge in der Sonne lag, schmiegte sich der Friedhof an den Hügel. Der Morgen war klar, der Himmel von einem gläsernen Blau, heller als das Meer, das sich unterhalb des Berges erstreckte. In verschiedenen Richtungen angeordnet, standen lange Grabmauern zwischen weiten Rasenflächen, Palmen und Pinien. Schrillbunte Plastikblumen, farbenprächtige Bilder und Marienfiguren schmückten die Nischen vor den in Fünferreihen übereinander angeordneten Grabplatten. Der Hohlraum, der für Martínez' Sarg bestimmt war, war bereits geöffnet. Auf dem Platz vor der Mauer standen dicht gedrängt Menschen, die sich zum Abschied von Martínez versammelt hatten. Menschen in teurer Kleidung mischten sich mit Trauernden in abgetragenen Anzügen und altmodischen Kleidern und Mantillen. Viele von ihnen hatte Klara bereits beim *velatorio* gesehen, der Totenwache, die in Spanien in der Nacht vor der Beerdigung abgehalten wurde.

> »Du lässest sie dahinfahren wie einen Strom,
> sie sind wie ein Schlaf,
> wie ein Gras, das am Morgen noch sprosst,
> das am Morgen blüht und sprosst und des Abends welkt und verdorrt.«

Der Pfarrer trug über Talar und Rochett eine violette Stola und hielt eine schwarze Bibel mit Goldschrift in der Hand, doch er sprach die Worte, ohne hineinzuschauen. Er schlug das Kreuzzeichen vor der Öffnung in der Wand, dann bückte er sich, fegte die Überreste des vorherigen Sargs aus dem Grab und schüttete sie in Martínez' Sarg, bevor er ihn verschloss. Ein leichter Wind streifte Klara. Ihre Hände waren bereits zu nass von Tränen, um ihre Wangen zu trocknen. Ihre letzte Begegnung hatte sich angefühlt wie ein Anfang und war das Ende gewesen.

»Nun aber bleiben Glaube, Hoffnung, Liebe, diese drei; aber die Liebe ist die größte unter ihnen.«

Klara spürte, wie Sànchez neben sie trat. Er reichte ihr ein riesiges weißes Taschentuch und blieb neben ihr stehen, kerzengerade und den Blick starr geradeaus gerichtet. Gil stand dicht neben Camila, ihre Finger ineinander verflochten. Sammy war an Gabriels linker Seite. In dem schwarzen Kleid wirkte ihre hohe, schmale Gestalt sehr erwachsen. Seinen rechten Arm hatte Gabriel um eine kleine gebeugte Frau mit einer altmodischen schwarzen Mantilla gelegt, Martínez' Mutter, die nach dem *velatorio* keine Tränen mehr hatte. Bei ihnen standen dunkel gekleidete junge Leute, Luis, Sonia und andere, die Klara nicht kannte.

»Herr, lass ihn ruhen in Frieden.« Die Stimme des Pfarrers war klar und erreichte auch den letzten Winkel der Trauergemeinde. »Amen.«

Die Träger schoben den Sarg in die Nische. Tränen liefen über Gabriels Gesicht, als er vortrat und eine Hand voll Sand in die Öffnung streute. Sein Kummer schnürte Klara die Brust zusammen. Er blickte auf, sah Sammys ausgestreckte Hand, ging auf sie zu und hielt sie fest.

Dieses Projekt wurde gefördert durch ein Arbeitsstipendium des Landes Nordrhein-Westfalen für Autorinnen und Autoren sowie Übersetzerinnen und Übersetzer.

Monika Geier

Neapel sehen
Ariadne Krimi 1136 · ISBN 3-88619-866-9

Der zweite Krimi um Kommissarin Bettina Boll: Ein Leichenfund im abgelegenen Steinbruch bereitet der Kommissarin Kopfzerbrechen. Schweißtreibende Ermittlungen heben kriminelle Umtriebe und perverse Lüste ins erbarmungslose Sonnenlicht. Doch welches Motiv reicht für einen Mord?

Stein sei ewig
Ariadne Krimi 1150 · ISBN 3-88619-880-4

Bettina Bolls 3. Fall: Mord an der Architekturfakultät. Die Kriminalermittlerin ist persönlich zugegen, als das Aktmodell erstochen wird, und doch hat niemand etwas mitbekommen! Der Täter muss tollkühn oder sehr ausgekocht sein …

»Monika Geier verfügt über die Bösartigkeit aller guten Krimiautorinnen, über Witz und die Raffinesse für wirklich subtile Plots. Ihre Bücher sind mehr als eine Entdeckung, sie sind eine Befreiung von schlecht gewordener Konvention.« Tobias Gohlis in *Die Zeit*

Christine Lehmann

Harte Schule
Ariadne Krimi 1157 · ISBN 3-88619-887-1

Lisa Nerz, Zeitungsreporterin mit beträchtlicher Erfahrung und guten Verbindungen, trägt gern Männerkleidung und genießt es, ihre arrogante blonde Volontärin zu triezen. Als die Meldung hereinkommt, dass auf einem Stuttgarter Schulhof ein ermordeter Lehrer liegt, nimmt die narbengesichtige Journalistin die Fährte auf und folgt ihr bis in allerhöchste Kreise, wobei sie Kopf und Kragen riskiert …

Ein knallharter Whodunnit, der zynisch und treffsicher das Lebensgefühl heutiger Jugendlicher auf den Punkt bringt.

Petra Pfänder

Die blaue Katze
Ariadne Krimi 1148 · ISBN 3-88619-878-2

Die Dortmunder Psychiaterin Klara Keitz, spezialisiert auf Trauma-patienten und Missbrauch, freut sich auf die Ferien mit ihren andalu-sischen Freunden in Conil. Sie will dem spanischen Paar dabei helfen, ein schönes Haus zu finden. Die Digitalkamera griffbereit, besichtigt sie mit Freundin Camila eine abgelegene Villa, als ihr ein einsames Kind im Nachbargarten ins Auge fällt. Klara knipst drauflos – doch erst die heftige Reaktion der Hausbesitzerin und der kurz darauf fol-gende Einbruch in ihr Hotelzimmer bringen Klara und Camila zu der Überzeugung, dass hier etwas nicht stimmt. Ihre Nachforschungen fördern eine grauenvolle Vorgeschichte zutage …

Mit der bestmöglichen Mischung aus Suspense, Feinfühligkeit und Drastik legt Petra Pfänder als Debüt einen extrem fesselnden Frauen-krimi vor.

Merle Kröger

Cut!
Ariadne Krimi 1146 · ISBN 3-88619-876-6

Ein altes Programmkino gibt seine letzte Vorstellung vor dem Abriss. Für die Betreiber endet eine Ära. Was nun? – Madita Junghans, die Norddeutsche mit den indischen Genen, hat keinen Plan. Ihr Freund Nick hingegen träumt von einer Karriere als Detektivpaar. Madita lässt sich überreden, in einem sehr privaten Fall einige Ermittlungen anzustellen. Die zwei verstricken sich in den losen Fäden eines dunk-len Kapitels deutsch-indischer Geschichte, ohne die Zusammenhänge zu ahnen. Und dann gibt es Tote …

Mitreißend, augenzwinkernd und erfrischend subjektiv inszeniert Filmemacherin Merle Kröger Widersprüche und Brücken zwischen Kino und wirklichem Leben, Vergangenheit und Gegenwart – und lässt Hamburger Alltag und Bombays Traumfabrik »Bollywood« fulminant aufeinander prallen.